Sharon L. Lechter
Greg S. Reid

# A três passos do ouro

Título original: *Three Feet from Gold: Turn Your Obstacles into Opportunities!*



A três passos ouro: saiba como transformar obstáculos em oportunidades

1ª edição: Junho 2021



**Autor:**
Sharon L. Lechter e Greg S. Reid

**Tradução:**
Mayã Guimarães

**Preparação de texto:**
3GB Consulting

**Revisão:**
Fernanda Guerriero Antunes

**Projeto gráfico:**
Jéssica Wendy

**DADOS INTERNACIONAIS DE CATALOGAÇÃO NA PUBLICAÇÃO (CIP)**

Hill, Napoleon.
A três passos do ouro : transforme seus obstáculos em oportunidades / Napoleon Hill. ; tradução de Mayã Guimarães. – São Paulo : Citadel, 2021.

272 p.

ISBN: 978-65-87885-59-9

Título original: Three feet from gold: turn your obstacles into opportunities

1. 1. Autoajuda 2. Sucesso 3. Desenvolvimento pessoal 4. Motivação I. Título II. Guimarães, Mayã Guimarães, Mayã

21-1726 CDD 158.1

Angélica Ilacqua - Bibliotecária - CRB-8/7057

**Produção editorial e distribuição:**

contato@citadel.com.br
www.citadel.com.br

Sharon L. Lechter
Greg S. Reid

# A três passos do ouro

Saiba como transformar
obstáculos em oportunidades

**Tradução:**
Mayã Guimarães

"Napoleon Hill ficaria honrado com este projeto"

— STEPHEN M. R. COVEY, autora do *best-seller* do *New York Times The Speed of Trust*

"*A três passos do ouro* está fadado a mudar a vida de milhões de pessoas no mundo todo. Napoleon Hill se orgulharia do que Sharon Lechter e Greg Reid estão fazendo para perpetuar sua grande obra."

— BOB PROCTOR, fundador do *Life Success*

"Grandes mensagens, grandes líderes, inspiração perfeita, alimento para sua alma. *A três passos do ouro* é seu mapa para o sucesso."

— DR. DENIS WAITLEY, autor dos *best-sellers* mundiais *Seeds of Greatness* e *Being the Best*, colaborador do *best-seller* do *New York Times The Secret*

"Lechter e Reid reviram e renovaram os conceitos clássicos de motivação que são essenciais para o verdadeiro sucesso. Enraizados em uma história que é parte autobiografia, parte ficção, você vai conhecer poderosos princípios e verdades atemporais que o ajudarão a encontrar o ouro em sua vida."

— MARK SANBORN, autor do *best-seller The Fred Factor*

"A Equação do Sucesso dentro deste livro vai mudar sua vida de um jeito profundo e positivo. Leia. Depois leia de novo!"

— HARRY PAUL, coautor de *FISH!* e *Instant Turnaround!*

"O segredo para ter isso tudo é perseverar nos tempos difíceis. Este livro mostra como adquirir essa força."

— JOHN ASSARAF, autor dos *best-sellers* do *New York Times Having It All* e *The Answer*

"Este livro estabelece um novo padrão no mercado."

— TIM LYON, editor da *Personal Development Magazine*

"*A três passos do ouro* continua os ensinamentos de meu avô de maneira notável."

— DR. JAMES B. HILL

"Estou animado com o projeto *A três passos do ouro*, uma história e uma mensagem vitais para o nosso mundo atual. Essa história nos lembra de que às vezes nossas maiores conquistas estão mais próximas do que acreditamos. Em última análise, não perdemos enquanto não desistimos, e não vencemos até persistirmos."

— JIM STOVALL, autor de *The Ultimate Gift*

"Este livro tem a capacidade de mudar milhões de vidas."

— LES BROWN, O Motivador!

# Sumário

# Palavras iniciais

Você pode fazer, se acreditar que pode.
Você controla seu destino.

Há muitas coisas que você não pode controlar, mas pode controlar as únicas que realmente importam: sua mente e sua atitude. Forças externas têm muito pouco a ver com o sucesso. Quem se programa para o sucesso encontra uma maneira de alcançá-lo mesmo nas circunstâncias mais difíceis. As soluções para a maioria dos problemas vêm de uma única fonte: você mesmo.

Viver a vida plenamente é muito parecido com descer a corredeira em um bote de borracha. Uma vez tomada a decisão, é difícil mudar de ideia, dar meia-volta e remar rio acima para águas calmas. Mas emoção e aventura fazem tudo valer a pena. Se você nunca tentar, talvez nunca conheça as profundezas do desespero, mas também não vai sentir a alegria do sucesso.

*Decida viver a vida ao máximo.*
*Você pode estar a três passos do ouro.*

— NAPOLEON HILL

# Nota dos autores

Esta história se desenvolveu a partir de nossa experiência de vida real ao explorar como a filosofia de Napoleon Hill inspirou o incrível sucesso de empreendedores, humanitários, atletas e empresários. Pedimos licença para criar uma narrativa convincente; com exceção dos personagens Mia, David e Jonathan Buckland, todas as pessoas neste livro são reais, e tivemos o privilégio de falar com elas pessoalmente. Suas histórias de coragem e realizações são verdadeiras. As lições de vida que oferecem são autênticas. Estruturamos nossa história com palavras que o próprio Napoleon Hill escreveu no início do século 20. Essas palavras são tão poderosas hoje quanto quando foram escritas pela primeira vez, como você descobrirá por si mesmo ao ler *A três passos do ouro*.

— SHARON L. LECHTER E GREG S. REID

# Prefácio

Em 1908, um escritor americano desconhecido, então repórter, chamado Napoleon Hill, teve a oportunidade única de entrevistar o homem mais rico da América, Andrew Carnegie. Carnegie apresentou a Hill, então com 25 anos, uma carta de recomendação que lhe daria acesso a quinhentos dos maiores empreendedores da época em negócios, política, ciência e religião, a fim de descobrir os denominadores comuns para o sucesso.

A partir dessas entrevistas, *Quem pensa enriquece* foi criado e escrito. O livro abrangia os treze princípios e a filosofia de realização e do sucesso pessoal. Hill deu vida ao movimento do desenvolvimento pessoal que, desde então, tem varrido o mundo.

No primeiro capítulo desse clássico internacional, Hill conta a história de um homem chamado R.U. Darby, que, a apenas três passos de encontrar um grande veio, desistiu de seus sonhos de ficar rico garimpando ouro.

A história de Darby nos lembra de que às vezes nossas maiores realizações e sucessos estão mais próximos do que acreditamos. *Quem pensa enriquece* trouxe esperança. Lançado durante a época da Grande Depressão, foi, e ainda é, uma tábua de salvação para milhões de pessoas no mundo todo que buscam uma vida melhor, uma vida de abundância.

Cem anos depois, a Fundação Napoleon Hill quer renovar esperança e coragem para todos na atual crise econômica global.

A Fundação mandou uma nova equipe ao encontro de líderes de nossa geração pelo mundo para descobrir algo muito oportuno: *por que eles não desistiram – em seus tempos difíceis.*

A partir dessas entrevistas, muitas lições foram aprendidas e são compartilhadas neste livro, *A três passos do ouro*. Ao ler as histórias desses líderes, você aprenderá o que os fez seguir em frente, o que deu a eles coragem para perseverar e por que querem compartilhar suas histórias de sucesso para que você possa encontrar seu caminho pessoal para o sucesso.

A Fundação ficou satisfeita ao descobrir que quase todos esses grandes ícones da atualidade consideram o trabalho original de Hill a força motriz por trás de suas realizações.

Eu também posso dizer com honestidade que foram os ensinamentos de Hill que me inspiraram e me ensinaram as chaves essenciais para o sucesso. Mais importante, Hill me deu força para seguir em frente, enquanto outros não tinham minha paixão e visão.

No cenário global de hoje, realmente precisamos continuar lembrando que, quando encontramos nosso objetivo principal definido e criamos nosso MasterMind, é nossa responsabilidade continuar a empreitada, por maiores que sejam as dificuldades. Cada um de nós tem um dom que deve ser compartilhado com o mundo.

Claro, virão contratempos e, sim, lutas. No entanto, as pessoas que continuarem, apesar do medo, se tornarão os líderes de amanhã.

Não espere até que tudo esteja certo. Nunca será perfeito. Sempre existirão desafios, obstáculos e condições menos que perfeitas. E daí?

Comece agora. A cada passo que der, você vai ficar mais forte, mais habilidoso, mais autoconfiante e mais bem-sucedido.

Nestas páginas, eu o convido a descobrir qual é o SEU dom especial e, depois disso, sempre avançando em direção a ele, sem nunca desistir, você estará *A três passos do ouro*.

— MARK VICTOR HANSEN[1]

---

1. Mark Victor Hansen é cocriador da série ***Canja de galinha para alma***®, n° 1 na lista de ***best-sellers*** do ***New York Times***, e coautor de ***Cracking the Millionaire Code, Milionário em um minuto*** e ***Cash in a Flash***. Ele também é autor de ***The Richest Kids in America.***

Cada adversidade,

fracasso e sofrimento

traz a semente de um benefício

equivalente ou maior."

— NAPOLEON HILL

CAPÍTULO UM

# Sem combustível

Greg abriu a porta do táxi, entrou e despencou no banco de trás. Estava atrasado – de novo. O celular em uma das mãos e o jornal enrolado na outra davam a ele a aparência de um estereótipo do viciado de Wall Street. Ele grunhiu um endereço para o taxista. O motorista revirou os olhos para a atitude do novo passageiro.

Greg tinha acabado de voltar de Nova York naquela manhã a tempo para um almoço de negócios, e ainda estava no modo Costa Leste e muito atrasado para encontrar a namorada no apartamento deles.

Quarteirão após quarteirão, o nativo de San Diego falava ininterruptamente ao telefone, parando apenas para discar um novo número ou atender uma ligação recebida. "Que tal boas notícias, para variar?", pensava, frustrado com as mensagens deixadas para ele.

De repente, fez uma pausa inesperada.

— Ei, espere um segundo! — Greg disse ao celular. — Este não é meu paletó. Aquele idiota no restaurante me deu o paletó errado.

Ao ouvir o comentário, o motorista olhou pelo retrovisor e perguntou:

— Quer que eu volte para onde o peguei?

Passando a mão na lapela, Greg olhou a etiqueta da grife no interior da peça e sorriu. O tom de superioridade voltou à voz quando ele disse:

— De jeito nenhum! Este é muito melhor que o meu. Algum otário vai ficar com o meu paletó velho. — Ele se divertia pensando no outro homem furioso ao descobrir a troca por um paletó inferior.

O motorista balançou a cabeça decepcionado, mas se conteve. Infelizmente, tinha acertado em cheio ao avaliar o caráter do passageiro.

Como um possível garoto-propaganda virtual da "Sociedade Primeiro Eu", Greg demonstrava pouca consideração pelos outros e seus sentimentos. Era adepto da "boa aparência" e da "aparência de sucesso", embora nem sempre tivesse sido assim.

Na verdade, ele dirigia uma pequena empresa de marketing e era muito menos impressionante do que o título exagerado que havia criado para si mesmo no cartão de visita. Diferentemente da imagem de sucesso que projetava, estava seriamente endividado, sem inspiração e insatisfeito. Pior ainda, o relacionamento com a namorada, Mia, desmoronava rapidamente.

Naquele momento, sua vida lembrava um passeio de bicicleta com os pneus furados por uma estrada de terra cheia de buracos. A única coisa que tinha aprendido com certeza era que nada na vida era garantido.

Houve um tempo em que tudo era oferecido diante dele, como um banquete para um herói conquistador. Ele tinha um plano, uma estratégia, e contava com a energia de uma explosão nuclear; sua vida inteira estava alinhada – até que ele se deparou com o que muitos teriam considerado obstáculos comuns.

Esse era seu calcanhar de Aquiles. Ele sabia como sonhar grande, e sabia até uma ou duas coisinhas sobre realizar sonhos. Mas simplesmente não conseguia lidar com adversidade. E, nessa economia profundamente conturbada, as possibilidades diante dele eram poucas, como para tantas outras pessoas.

Em outras palavras, Greg estava cheio de expectativas, mas não tinha resultados para confirmá-las. No Texas, isso é chamado de "muito chapéu para pouco gado".

— Chegamos — anunciou o taxista, parando junto ao meio-fio na frente de um luxuoso prédio de apartamentos pelos quais poucas pessoas podiam pagar – especialmente o próprio Greg, hoje em dia.

Ele saiu do táxi resmungando:

— Fique com o troco. — E jogou pela janela uma nota amassada de vinte dólares.

O motorista consultou o taxímetro, olhou para a nota amassada e percebeu que tinha acabado de ganhar uma gorjeta astronômica de dez centavos. "Outro grande gastador", ele pensou, e partiu aborrecido.

— Boa noite — disse Frank, o porteiro, ao ver Greg se aproximando. Depois de entregar ao inquilino sua correspondência e um aviso de aluguel vencido, Frank se inclinou na direção dele e cochichou: — Preciso falar uma coisa para o senhor.

Greg apontou para o celular, ainda colado à orelha. Ele continuou falando e andando. Frank, que trabalhava no prédio desde a inauguração, deu de ombros e voltou às suas funções. Infelizmente, essa não era uma interação incomum entre os dois.

O monólogo telefônico só foi interrompido quando a porta do elevador se abriu, e só porque Greg sabia que lá dentro não havia uma recepção. Ele encerrou a ligação. Aliviado por não haver ninguém dentro junto com ele, apertou o botão de seu andar e se inclinou para trás, hipnotizado com o próprio reflexo nas portas brilhantes.

Olhando para si mesmo, pensou: "Fico muito bem com esse meu paletó novo".

A subida foi tranquila, mas seu cérebro não estava nada calmo. Sem ninguém com quem conversar, o diálogo interno sobre seus atuais problemas o manteve ocupado até que o barulho do elevador interrompeu o devaneio.

Voltando para casa como havia feito centenas de vezes antes, ele saiu do elevador, caminhou até seu apartamento, destrancou a porta e entrou, chamando pela namorada.

— Mia!

Os dois estavam juntos havia cinco anos, mas os últimos doze meses tinham sido difíceis. Tudo o que ela queria era o homem que Greg era antes, não essa imagem que ele criara para si mesmo; tudo o que ele queria era evitar compromisso a qualquer custo.

Eles haviam tentado terapia, sem muito sucesso, porque Greg sempre parecia ter alguma crise que impedia as consultas marcadas. Mia sabia que ele não era má pessoa, mas se perguntava se era a pessoa certa para ela.

Ao entrar, ele percebeu que faltava alguma coisa. Na verdade, mais que alguma coisa. Faltava quase tudo.

Greg ficou ali parado, confuso. Estava mesmo em seu apartamento, não estava? Voltou ao corredor e olhou o número na porta. Número certo. A vista da cidade era a mesma (espetacular, aliás, um detalhe que aumentava muito o valor do aluguel). O único problema era que a sala de estar estava vazia; os lugares onde antes estavam os móveis estavam vazios.

Ele pegou o telefone e apertou o botão que o conectava diretamente à recepção.

Frank atendeu imediatamente. "Sim, como tentei avisar quando o senhor entrou, ela foi embora há dois dias. E pediu para dizer... bom, prefiro não falar."

"Esquece. Já entendi", gritou Greg, depois largou o fone e olhou em volta. Tinha que reconhecer que fora um plano bem executado. Os únicos objetos que restavam eram sua poltrona preferida, já bem usada, e uma mesinha lateral com uma foto emoldurada em cima dela.

Havia um bilhete colado na foto. Ele o pegou e leu em voz alta.

Greg,

Esta é uma foto sua nas Bahamas. Perceba que você está sozinho na praia. Isso mostra como eu me sentia em nosso relacionamento. Espero que você encontre alguém que possa amá-lo tanto quanto você se ama.

Mia

Greg jogou o bilhete de lado e se sentiu abandonado enquanto caminhava pela sala, tirando o paletó do desconhecido e deixando-o cair no chão. Ao afrouxar a gravata, percebeu que um cartão de visita havia caído do bolso do paletó virado para cima.

Não pensara em verificar os bolsos para ver se conseguia descobrir quem era o dono do paletó. Ele pegou o cartão.

O nome impresso no cartão de visita era o do lendário Jonathan Buckland, que por acaso era o magnata e empresário mais conhecido e politicamente bem relacionado da cidade. Greg virou o cartão para olhar o verso. Nada, estava em branco. Ele olhou para a frente novamente. O paletó pertencia ao Sr. Buckland?

Greg sorriu ao sentir cheiro de oportunidade. Imediatamente, sua atitude mudou de sentimento de perda para esperança.

Ele agora tinha uma desculpa para ligar para aquele grande homem. A chance de fazer contato, mesmo que rapidamente, com uma pessoa da envergadura de Buckland valia muito mais que o paletó agora amassado aos pés de Greg.

Esquecendo tudo sobre o apartamento vazio e a namorada que o havia deixado, ele pegou o telefone para ligar para o escritório do empresário. Talvez sua sorte tivesse mudado.

Mais ouro foi garimpado
dos pensamentos de homens do
que jamais foi extraído da terra.

— NAPOLEON HILL

CAPÍTULO DOIS

# Despertar

O saguão do prédio da sede de Jonathan Buckland era inspirador, com pisos de madeira importada e janelas panorâmicas que faziam Greg se sentir pequeno – até mesmo insignificante –, um sentimento raro para alguém tão pretensioso quanto esse visitante.

Naquele momento, Greg se lembrou dos prédios que havia visitado quando menino. O pai às vezes o levava nas viagens de trabalho à cidade. Essas aventuras inspiraram os sonhos de sucesso de Greg. Ele não pôde deixar de comparar os sonhos de infância com sua vida atual, insatisfatória. As coisas com certeza não haviam acontecido como ele planejara.

Ele se deu conta de que não entrava em contato com família havia semanas – talvez meses. E prometeu a si mesmo que ligaria mais tarde... quando tivesse boas notícias para contar. Não queria que eles pensassem que não estava ganhando dinheiro.

Uma recepcionista sorridente o cumprimentou.

— Bem-vindo ao *World Capital Building*. Por favor, pegue o elevador até o quinquagésimo quarto andar, e aproveite a visita.

Nos poucos momentos necessários para chegar ao seu destino, Greg se recompôs. Adotou sua melhor expressão de jogador e fez um rápido discurso de incentivo para si mesmo – esse era seu momento de brilhar! Estava pronto para sair do elevador armado de toda a confiança e todo o carisma que conseguiu reunir.

Quando as portas se abriram, o visitante ansioso saiu com a força de um touro de rodeio saltando para fora da baia.

— Presta atenção, tio — ele disse ao passar por um senhor alto que estava na frente dele, provavelmente esperando para entrar no elevador.

A caminho da recepção, Greg exibiu uma sacola Neiman Marcus com o paletó "emprestado" dentro dela e anunciou:

— Olá. Vim falar com o Sr. B. Trouxe algo para ele.

— Sim, ele estava à sua espera... — a recepcionista começou.

Greg a interrompeu falando muito alto:

— *Estava*? Como assim? Fui orientado a vir a este lugar neste horário para devolver o paletó. E ele não está aqui? Talvez eu devesse ter ficado com essa porcaria.

— Senhor, acho que entendeu mal — respondeu a recepcionista. — Eu disse "estava" porque já o encontrou — ela sussurrou. E apontou para a porta do elevador, para o senhor que Greg tinha acabado de empurrar para o lado.

Paralisado de vergonha, com os olhos meio arregalados, ele olhou para a recepcionista com cara de "o que é que eu faço agora?".

Jonathan Buckland o salvou desse momento incrivelmente constrangedor dizendo:

— Pensei que ia apagar um incêndio, rapaz. Eu estava aqui esperando para cumprimentar o homem que teve integridade suficiente para devolver meu paletó favorito.

Percebendo sua gafe e se sentindo um pouco culpado ao ouvir Buckland falar em "integridade", Greg mudou de atitude imediatamente. Depois de ver sua foto nas revistas durante tantos anos, não conseguia acreditar que havia deixado de reconhecer o famoso Sr.

Buckland. Com 1,90 metro de altura, ele era um homem gigante, com uma personalidade ainda maior. Seria difícil, para qualquer um, passar por cima de uma figura tão icônica.

Greg se virou para saudar o grande Buckland, cujo sorriso agora surgia embaixo do famoso bigode grosso que lembrava presas de morsa. Os despretensiosos olhos azuis não combinavam com a imagem altiva que se esperava de um homem assim. Quando Buckland estendeu a mão, Greg entregou a sacola.

Buckland a pegou e disse:

— Obrigado, mas eu queria apertar sua mão.

— Ah — Greg respondeu, ficando ainda mais vermelho. — Peço desculpas, Sr. Buckland. Parece que hoje não consigo fazer nada direito. Preciso dar um tempo, sério. Acho que devia desistir e começar tudo de novo.

— Bobagem! Entenda, somos nós que criamos nossos tempos, e, no fim, estamos exatamente onde escolhemos estar. — O magnata fez uma pausa e apontou para a porta aberta de seu escritório. — Tem um segundo?

Percebendo que tinha acabado de ser convidado a entrar no escritório do lendário empresário, Greg tentou disfarçar o constrangimento com uma piada:

— É, acho que consigo te encaixar na agenda.

Quando entraram no escritório mais bem decorado que já tinha visto, ele não pôde deixar de notar a incrível vista do porto além das janelas. Ao entrar no mundo pessoal de Buckland, Greg não percebeu que também estava entrando em um novo capítulo da própria vida.

— Sente-se — convidou o anfitrião. — Você parece um pouco tenso. Em que está pensando?

Greg sentou-se na cadeira mais próxima da mesa e começou imediatamente:

— Desculpe por aquilo lá fora. Estou muito envergonhado — disse com tom humilde. — Estava muito animado por estar aqui e obviamente me excedi. Tenho estado um pouco sobrecarregado ultimamente e pensei que talvez minha sorte tivesse mudado quando tive a oportunidade de encontrá-lo. Na verdade, confesso que esperava uma grande chance, mas estraguei tudo com meu comportamento. Sinto muito mesmo. Minha namorada foi embora depois de cinco anos de relacionamento, sem falar nada, e estou pensando seriamente em desistir dos negócios. Estou quase perdendo o juízo e pronto para jogar a toalha.

Greg continuou, meio acanhado:

— Não acredito que acabei de extravasar com você desse jeito. Mais uma vez, peço desculpas. — E pensou: "Você é um idiota falando com Buckland desse jeito! Como se ele se importasse com seus problemas".

— Não precisa se desculpar. E você não estragou nada. Sou um bom ouvinte, e parece que tínhamos que nos encontrar. Você conhece o ditado: "Não existem coincidências". Gosto de ajudar jovens como você a descobrir quem eles realmente são e o que realmente querem. O fato de ter devolvido minha jaqueta é um bom sinal, mesmo que o motivo tenha sido apenas me conhecer. — E piscou para Greg. — Tenho algo que pode ajudá-lo. — Buckland pegou um livro na estante atrás dele e o entregou ao visitante. — É sobre sucesso. Diz que nunca se deve desistir a três passos do ouro!

— Três passos do quê? — Greg perguntou, aceitando o livro.

Imediatamente, ele reconheceu o título, *Quem pensa enriquece*, embora nunca o tivesse lido. Educadamente, folheou as páginas antes de tentar devolvê-lo ao anfitrião. Buckland sorria sem fazer menção de pegá-lo de volta. Greg manteve o braço estendido em um impasse embaraçoso antes de colocar o livro sobre a mesa.

Recostando-se na poltrona de couro, Buckland disse:

— Vou compartilhar outro ditado com você, um que me acompanhou durante anos: "Nunca reclame de seus problemas, porque 95% das pessoas não se importam, e os outros 5% ficam felizes por eles terem acontecido com você".

Greg olhou para Buckland com uma expressão que mostrava que não só entendia completamente o que Buckland estava dizendo, como também sentia essa realidade em sua vida. Agora ele se sentia ainda pior por despejar seus problemas em cima do homem.

Buckland disse:

— Gosto de provar que essa afirmação está errada. Eu me importo com as pessoas que querem e estão dispostas a se ajudar. Vou lhe fazer uma pergunta. Na sua opinião sobre a vida em geral, o copo está meio cheio ou meio vazio?

Greg pensou na pergunta por um momento e surpreendeu Buckland com a resposta:

— Depende.

— Posso saber de quê?

— De como começa — respondeu Greg.

— Continue.

Greg concluiu seu pensamento:

— Na minha opinião, se o copo começa completamente vazio e você põe um líquido nele, o copo fica meio cheio. Se o copo começa cheio e você despeja parte do líquido, ele fica meio vazio.

Buckland abriu uma gaveta da mesa de mogno entalhada à mão, pegou um bloquinho de notas e escreveu alguma coisa. A expressão contemplativa em seu rosto mostrava que estava impressionado com a resposta singular para uma antiga questão. Buckland largou a caneta e torceu um lado do bigode com ar pensativo.

— Não sei o que é, mas gosto de você. Talvez me faça lembrar de mim mesmo na sua idade. — Buckland pensou por mais um momento, depois olhou nos olhos do rapaz. — Acho que você pode ter potencial. Está disposto a trabalhar para se ajudar? Se estiver, tenho um amigo que quero que conheça.

— Se é um amigo seu, eu adoraria — Greg respondeu, sentindo uma onda de entusiasmo subir pelas costas.

— E por que isso? — Buckland perguntou, esperando outra resposta única.

— Bem, como dizem por aí, "diga-me com quem andas, e te direi quem és", e considerando todo o seu sucesso, acho que seus amigos também são bem-sucedidos.

— Tem razão. Meu bom amigo Charlie "Tremendo" Jones sempre diz que você é hoje o mesmo que será em cinco anos, exceto por duas coisas. — Buckland fez uma pausa e olhou para o visitante por um tempo que pareceu eterno.

Para acabar com o silêncio incômodo, o visitante interessado perguntou:

— Que coisas são essas?

Buckland sorriu, apontou para o livro sobre a mesa e disse:

— As pessoas que você conhece e os livros que lê. Pense nisso. Somos a soma total do conhecimento que temos e do conhecimento daqueles com quem nos relacionamos. Se você só lê tabloides, é essa informação que vai ter e absorver. Se lê biografias de grandes pessoas e livros inspiradores, também é isso que vai saber e absorver.

— Sim, entendi. E a parte das "pessoas que conhecemos" também é verdade, imagino — disse Greg.

— É isso mesmo. Charlie sempre diz: "Conviva com pensadores e você será um pensador melhor. Conviva com vencedores e você será um vencedor melhor. Conviva com um monte de idiotas que só reclamam e se lamentam, e você vai ser um idiota que vai reclamar e lamentar melhor".

Greg deu uma gargalhada, e Buckland continuou.

— Acabei de lhe entregar um dos melhores livros que você jamais lerá, então, essa é a primeira parte. A segunda é a oportunidade de conhecer alguém que vai dividir um pouco de conhecimento sobre os tesouros que você encontrará nessas páginas.

— Obrigado, Sr. Buckland — disse Greg, olhando com um pouco mais de atenção para o livro que havia deixado de lado. — Conhecê-lo já foi um grande presente para mim. Estou ansioso para conhecer essa pessoa que quer me apresentar. E vi que anotou alguma coisa enquanto conversávamos. Eu disse algo errado de novo?

— Céus, não. Na verdade, você me ensinou algo que eu quero lembrar. — Buckland virou o bloco de anotações para que Greg pudesse ler o que ele havia escrito.

*Se o copo está meio cheio ou meio vazio,*
*depende de onde a coisa começa.*

— Outra coisa que aprendi ao longo dos anos é que todos os grandes líderes fazem muitas anotações. No meu caso, são lembretes para mim mesmo, para que eu possa pegá-los mais tarde e lembrar imediatamente a mensagem inteira. E você acabou de entrar no meu livro.

Inspirado pelo comentário, Greg sentiu uma autoconfiança renovada ao apertar a mão de Buckland. As coisas podiam dar certo, afinal, ele pensou.

Antes que ele pudesse dar o passo maior que a perna, Jon Buckland viu a arrogância voltando à postura do novo amigo e o trouxe de volta à terra com uma pergunta.

— Diga-me uma coisa. Eu gostaria de conhecer seus amigos?

Greg sorriu e respondeu:

— Provavelmente, não, Sr. Buckland. Provavelmente, não.

Muitas pessoas bem-sucedidas encontraram na derrota e na adversidade oportunidades que não conseguiram reconhecer em circunstâncias mais favoráveis.

— NAPOLEON HILL

CAPÍTULO TRÊS

# Plantar as sementes

Na manhã seguinte, uma batida rápida na porta acordou Greg de um sono profundo. Ele estava sonhando com Mia, que ela não o tinha deixado, que estaria deitada ao lado dele de manhã. Ela não estava.

Vestindo um robe, ele cambaleou pelo apartamento vazio até a porta da frente.

Frank, o porteiro sorridente, cumprimentou-o.

— Chegou para o senhor — disse ele segurando um pacote.

Quando Greg estendeu a mão para pegá-lo, o porteiro deu uma espiada na sala quase vazia. Viu algumas cadeiras de jardim dispostas em torno de uma pequena mesa de carteado que Greg havia "tomado emprestada" da área social do edifício. O espaço parecia frio, nada convidativo, até deprimente, diferente da decoração elegante criada pelos móveis caros que estavam ali até uma semana antes.

— Obrigado — o inquilino respondeu, pegando o pacote antes de entrar.

Reagindo por instinto, o porteiro puxou a cabeça para trás bem a tempo de evitar a portada no nariz. Nada de gorjeta.

Do outro lado da porta, Greg parou. Normalmente, não teria pensado duas vezes em suas atitudes, mas hoje algo tinha mudado. Ele abriu a porta e gritou no corredor:

— Desculpe, Frank. Estou de cabeça cheia. Mas isso não é justificativa.

Frank se virou surpreso.

Greg disse:

— Obrigado por ter trazido o pacote.

— Não foi nada. — Frank recuperou o sorriso. Ele tocou o boné e sumiu além do fim do corredor.

Greg rasgou o papel de embrulho e se surpreendeu ao encontrar um bloquinho de notas como o que Buckland usava para seus lembretes, junto com uma cópia da obra *Quem pensa enriquece*, de Napoleon Hill, o livro que Buckland tinha lhe mostrado no dia anterior. No interior da capa frontal havia uma passagem aérea e uma mensagem breve:

> Desafio: Use a passagem, encontre meu bom amigo Don e ponha em prática o que ele compartilhar com você. Muitos recebem bons conselhos, mas poucos lucram com eles. Você lucraria?

Greg pensou sobre o bilhete. Poucos lucram com isso. Qual poderia ser a desvantagem?

Ele continuou lendo e encontrou a informação que Buckland fornecia sobre seu amigo, Don Green. Reconhecendo que uma oportunidade incrível batia à sua porta, imediatamente ligou para o escritório, desmarcou todos os compromissos (o que não demorou muito) e fez as malas. Não conseguia acreditar que Jonathan Buckland tinha realmente enviado a ele uma passagem aérea para visitar um amigo depois de tê-lo visto apenas uma vez. Esse era um presente que ele queria ter certeza de apreciar bem.

Quando já estava na porta a caminho do aeroporto, seu telefone tocou – não o celular, mas o telefone residencial, que raramente era usado. Com um suspiro, ele voltou para atender.

— Alô — disse.

— Greg, é o David.

As palavras evocaram na mente de Greg uma vida inteira de lembranças, muitas delas imagens maravilhosas de família, juventude e amizade, mas outras mais recentes, de dor, desapontamento, sofrimento e até repulsa. Queria desligar o telefone e ir embora como se nem tivesse atendido. Mas sabia que não podia.

Mantendo o fone junto da orelha, não respondeu a princípio.

— É o David — repetiu o interlocutor, um tanto agressivo.

— Oi, Dave. Você me pegou em uma hora ruim. Estou correndo para o aeroporto.

— Negócios importantes, irmão?

— Mais ou menos. Agora me dedico mais a pesquisa e desenvolvimento.

David Engel não era realmente irmão de Greg, mas era quase isso. Aos três anos, David ficara órfão quando pai e mãe, amigos íntimos dos pais de Greg, morreram em um terrível acidente de automóvel. A família recebeu David em casa e acabou o adotando.

Greg e David Engel tinham menos de um ano de diferença de idade e foram rivais amigáveis durante toda a vida. Isto é, amigáveis até os últimos anos, quando começaram a se afastar... por causa da relação de David com a bebida.

— Puxa, mas é a vanguarda! Pensando fora da caixa. Meu parceiro, desejo muito sucesso e toda aquela bobagem! — David disparou sarcástico, enrolando um pouco para falar "sucesso".

— Você andou bebendo? — Greg odiava fazer essa pergunta e se odiava por fazê-la. Mas era necessário. Estava na cara, e ele estava com raiva. Como esse cara se atrevia a meter seus problemas e fracassos na vida de Greg! Irmão ou não... e não era, afinal.

— E daí se bebi? Eu posso pagar. Posso não ser rico como você, mas se quiser beber, o que me impede?

— Eu sei que não posso te impedir, Dave. Talvez nem queira. Mas posso encerrar essa conversa aqui. Não vai dar em nada e vai desandar rápido. Tchau.

— Espera... eu queria...

Greg bateu o telefone e saiu correndo. Engoliu as lágrimas de raiva que brotavam de seus olhos. Não ia deixar um bêbado patético estragar seu dia, ou sua vida.

Depois de um voo de cinco horas, Greg chegou à paisagem mais majestosa que já tinha visto. Uma ligeira insegurança se misturou ao sentimento de admiração quando ele estacionou na sede da Fundação Napoleon Hill, a organização que protege e promove a sabedoria de Napoleon Hill, o autor de *Quem pensa enriquece*. Tinha folheado o livro durante o voo e estava ansioso para saber mais.

Um pouco nervoso e esperando não repetir o fiasco de seu primeiro encontro com um grande líder, ficou rapidamente à vontade ao ver o sorriso amigável e a atitude relaxada de Don Green.

— Oi, Greg. Meu nome é Don, e aposto que você está se perguntando por que viajou até Wise, Virgínia, para encontrar um completo desconhecido.

— Bem, não é realmente um desconhecido — disse Greg. — Depois da apresentação do Sr. Buckland e da pesquisa que fiz, tenho que admitir que estava muito ansioso para conhecê-lo. Ele também me contou sobre Charlie "Tremendo" Jones e a importância dos livros que você lê e das pessoas que conhece.

A partir do bilhete de seu novo mentor e de algumas pesquisas na internet, Greg soube que Don Green se tornara presidente de banco relativamente jovem, depois havia virado um executivo de sucesso nas próprias empresas e era uma pessoa que retribuía generosamente à sua comunidade. Ele tinha recebido muitas homenagens ao longo do caminho, como um prêmio por ser o cidadão voluntário do ano, e integrara o conselho da emissora PBS de sua cidade e da Universidade da Virgínia. Mais importante, era o CEO da Fundação Napoleon Hill, e a pessoa nessa cobiçada posição era encarregada de supervisionar toda a operação.

— O conselho de Charlie é muito bom. E tenho certeza de que Bucky foi muito generoso com as informações que deu sobre mim — disse Don. — Uma coisa é certa: li muitos livros e conheci muita gente. Estudei os princípios do sucesso por quase 45 anos e sempre me interessei por aprender o que torna as pessoas realmente bem-sucedidas em suas áreas. É com isso que a Fundação tem a ver.

Greg notou que Green não ficava acanhado com os elogios feitos por Buckland. Ele era simpático e humilde, mas não demonstrava falsa modéstia.

Don apontou para uma cadeira.

— Sente-se.

Quando os dois se sentaram, o anfitrião continuou:

— Você deve ter impressionado a velha morsa, ou ele não o teria mandado até aqui. Imagino que esteja interessado em sucesso.

— Acho que ele sabia que eu precisava de muita ajuda — disse Greg. —Definitivamente, quero ter sucesso, mas não estou chegando a lugar nenhum.

Don ficou pensativo por um momento antes de responder.

— Eu gostaria de compartilhar com você uma das razões principais, e talvez a mais importante, para que apenas 5% das pessoas alcancem o sucesso, e por que o restante não desenvolve seu potencial.

— Isso seria ótimo, porque quero ser milionário.

— Bem, Greg, você pode acordar um dia e descobrir que, de fato, acumulou um milhão de dólares, ainda que na verdade possa não ter ainda conquistado o sucesso.

Greg olhou para seu anfitrião um tanto perplexo.

— Como o escritor Ben Sweetland afirmou anos atrás, "O sucesso é uma jornada, não um destino". Sucesso é um estilo de vida que você mantém enquanto estiver vivo. Tem a ver com descobrir seu propósito final e persegui-lo com tudo que você tem e tudo que você faz — afirmou Don Green com grande convicção. — Participo da administração da Fundação Napoleon Hill porque quero ajudar as pessoas a descobrirem seu maior propósito. Mas a lição de que estou falando e quero compartilhar com você é sobre nunca desistir, sobre ter a coragem de não desistir, mesmo quando você sente que não tem outra escolha.

Greg se pegou recuando fisicamente contra o encosto da cadeira em resposta a uma declaração tão poderosa. Lembrou que havia compartilhado com Buckland suas frustrações e ideias sobre desistir. "Estou aqui por um motivo; tenho que prestar atenção", disse a si mesmo.

Green notou a agitação do rapaz. Percebendo que devia ter atingido um ponto nevrálgico, continuou de uma maneira mais tranquilizadora.

— Vejo que você tem em mãos o *Quem pensa enriquece*. Vou contar a história desse livro. Ele foi publicado pela primeira vez em 1937 e vendeu muitos milhões de cópias em todo o mundo. Contém mais lições de mudança de vida do que qualquer outro livro que já li. Mas a lição de nunca desistir é uma das mais importantes. Acho que você vai gostar desse livro, Greg, e ele pode até ajudá-lo a encontrar algumas respostas ou, melhor ainda, inspirá-lo a fazer novas perguntas. No primeiro capítulo, Hill conta a história de R.U. Darby, que aprendeu uma lição muito custosa que o modificou para sempre. Darby fez o que muitas pessoas fazem, desistiu quando se sentiu dominado por uma derrota temporária. Napoleon Hill sabia que cada um de nós comete esse erro uma vez ou outra.

Greg lembrava-se vagamente dessa história por ter dado uma rápida olhada no livro. Ele endireitou o corpo para escrever em seu bloco de notas:

*A causa mais comum de derrota é a desistência.*

Satisfeito por ver seu visitante fazendo anotações, Green continuou.

— O tio de Darby foi atingido pela febre do ouro. Ele viajou para o Oeste para ficar rico com mineração. Esse aspirante a garimpeiro tinha muito mais esperanças do que soluções, sabe, porque ele não investiu nenhum tempo em aprender a fazer o que queria. Ele só queria encontrar ouro. Não havia estudado mineração ou aprendido com outras pessoas sobre a maneira adequada de minerar, ou mesmo sobre as dificuldades da mineração. Apenas se apossou de uma área e começou a trabalhar com a pá e a picareta.

Greg ficou sentado em silêncio, ouvindo cada palavra da história. Ele percebeu surpreso que seu diálogo interno habitual de tagarelice egocêntrica havia diminuído muito. Não estava pensando em Mia ou David, ou em suas preocupações com os negócios, ou em qualquer outro problema; em vez disso, estava ouvindo de verdade.

— Felizmente, depois de semanas de trabalho braçal, o tio de Darby foi recompensado com a descoberta de ouro, muito ouro! Embora fosse um bom problema para se ter, ele logo percebeu que realmente não estava preparado. Precisava de maquinário para remover a enorme quantidade de pedras pesadas e terra que cobriam o minério brilhante.

"Consciente de que máquinas custavam um dinheiro que não tinha, ele cobriu a mina com cuidado e viajou de volta para sua casa em Williamsburg, Maryland. Lá proclamou a grande descoberta em voz alta e gabou-se da tremenda riqueza em ouro que jazia no solo, apenas esperando seu retorno. Não demorou muito para ele convencer a família e amigos a investir no equipamento necessário.

"Com dinheiro em mãos, o tio de Darby convidou seu jovem protegido para voltar com ele e começar a cavar em busca do tesouro prometido. Quando o primeiro minério de ouro foi extraído, eles o mandaram entusiasmados para a fundição. Com certeza, era minério de alta qualidade e prometia ser uma das mais ricas descobertas em ouro no Colorado. Só mais algumas remessas, e não só seriam capazes de pagar suas dívidas com família e amigos, como também teriam muito dinheiro para gastar.

"Darby e o tio estavam convencidos de que logo fariam uma enorme fortuna com a mina de ouro. Então a tragédia aconteceu... o ouro simplesmente desapareceu. Justamente no momento em que estavam mais esperançosos, os Darbys ficaram arrasados quando chegaram ao fim do arco-íris... e o proverbial pote de ouro não estava mais lá."

Greg largou a caneta, censurando-se mentalmente. Se tivesse dedicado um tempo à leitura do primeiro capítulo do livro, ele já o teria entendido...

— Agora lembre, eles só queriam mais ouro. Nunca estudaram a arte da prospecção de ouro e não tinham nenhuma verdadeira paixão pelo negócio de mineração, então, não sabiam o que fazer a seguir, exceto continuar cavando. Com sua impaciência e falta de conhecimento, não demorou muito para que ficassem totalmente frustrados e desiludidos. Tiveram sucesso instantâneo e perderam a paciência quando o trabalho se tornou mais difícil. Continuaram cavando, mas não encontraram mais minério. Não foi preciso muito tempo para que a insatisfação os dominasse e eles decidissem desistir.

Green fez uma pausa para beber um gole de água. Greg se inclinou para a frente a fim de não perder nada da história.

— Desanimado e derrotado, Darby e o tio venderam a mina e o equipamento para um sucateiro local. Esse sucateiro passou anos procurando uma oportunidade de entrar no ramo da mineração. Ele havia estudado mineração por mais de uma década e sempre acreditara que esse era o seu destino. A venda foi concluída por algumas centenas de dólares. Com isso, Darby e o tio pegaram o trem e voltaram para casa em Maryland, encerrando a busca por ouro.

— É isso? Só isso? — Greg perguntou. — Eles simplesmente desistiram?

—Sim, desistiram. Mas a história não termina aí. Veja, o sucateiro era apaixonado pela ideia da mineração. Lembre-se de que ele estava só esperando a oportunidade certa. Ele também era mais inteligente do que a maioria das pessoas acreditava que fosse. Com a escritura em mãos, contratou um engenheiro de minas para inspecionar o local e, juntos, eles descobriram o que é conhecido como falha geológica. O engenheiro explicou que o ouro corria em veios longos e que os proprietários anteriores tinham apenas perfurado de um lado do veio e saído do outro. O engenheiro explicou que, se o sucateiro voltasse e cavasse em outra direção, perpendicular ao local onde os Darbys haviam feito a primeira descoberta, provavelmente voltaria a encontrar o tesouro.

"O novo proprietário, o sucateiro que havia virado minerador de ouro, seguiu essas instruções simples e encontrou um dos maiores bolsões de minério já descobertos, a apenas um metro de distância de onde os Darbys tinham parado de minerar. O sucateiro extraiu do local milhões de dólares em ouro. Ele teve sucesso onde Darby e seu tio falharam, por dois motivos: a determinação em cumprir seu propósito de vida de se tornar mineiro de ouro e, é claro, a disposição para pedir conselhos a especialistas.

Don fez uma pausa para deixar a mensagem surtir efeito.

— E o que você acha que o Sr. Darby fez quando soube do sucesso do sucateiro?

Greg disse:

— Deve ter desistido da vida.

— Muitas pessoas teriam. Mas R.U. não deixou seu fracasso ser em vão. Ele aprendeu a lição sobre desistir *a três passos do ouro* e passou a aplicá-la em seu trabalho no ramo de seguros. Claro, ele ficou arrasado quando soube do sucesso que o sucateiro teve à sua custa, mas nunca se esqueceu de que o verdadeiro motivo de ter perdido aquela fortuna foi ter desistido cedo demais.

"Ele dedicou a vida inteira a nunca mais aceitar a derrota. Com essa nova atitude de 'Desistir Nunca', Darby passou a criar a própria fortuna no ramo de seguros. Ele pagou amigos e familiares com essa nova fortuna. E, o mais importante, também começou a compartilhar sua história para que outros pudessem aprender com seu erro."

— Essa é uma história poderosa — comentou o jovem visitante.

Don acrescentou:

— Antes de encontrar o grande sucesso, você certamente enfrentará uma derrota temporária. Quando as pessoas são dominadas por esses sentimentos, a coisa mais fácil e talvez mais lógica a fazer é desistir. Desistir é exatamente o que a maioria das pessoas faz.

Greg escreveu rapidamente em seu bloco de notas:

*Antes de o grande sucesso chegar, você certamente encontrará uma derrota temporária.*

Green concluiu seus pensamentos dizendo:

— Há três coisas que você tem que lembrar depois de escolher seu caminho.

Greg rabiscou as palavras de Don:

*Escolha seu caminho e depois:*
*Um – Procure orientação de quem*
*tem expertise maior que a sua.*
*Dois – Nunca desista a três passos do ouro.*
*Três – Quando alcançar o sucesso, vai conhecer*
*outras pessoas a quem pode orientar. Compartilhe*
*com elas a lição que você aprendeu.*

— Lembre-se disso — acrescentou Don. — A razão pela qual a maioria das pessoas desiste é porque não conseguem descobrir seu objetivo definido na vida. Elas não têm algo pelo que valha a pena lutar. Depois de descobrir essa verdade, você vai conquistar o que Hill chamava de *aderência*.

Greg ouvia atentamente e ainda estava confuso. Tudo o que conseguiu dizer foi:

— Hã?

— Os Darbys desistiram porque não estavam comprometidos com o resultado; estavam simplesmente perseguindo os dólares, da mesma forma que você disse que quer se tornar milionário. O sucateiro, por outro lado, sempre soube que um dia teria uma oportunidade e se tornaria mineiro de ouro, e ele fez tudo que tinha que fazer até essa oportunidade aparecer. Em outras palavras, ele tinha aderência; essa é a diferença entre estar interessado e estar comprometido.

Greg escreveu em seu caderno:

*Existe uma diferença entre estar*
*interessado e estar comprometido.*

— Pense desta forma — disse Green. — Imagine que você vai a um evento social onde conhece uma jovem bonita e se interessa por ela.

Compare isso com encontrar o amor da sua vida e se casar – agora você está comprometido. Com o tempo os problemas vão aparecer, sempre aparecem.

Greg lembrou como havia acabado de voltar para casa e encontrado o apartamento vazio.

— Quando os tempos ficam difíceis, você pode fugir da situação ou, como nesse caso, da pessoa por quem está apenas interessado. Já com um casamento ou uma situação de maior compromisso, é mais provável que procure uma solução e resista, porque você se dedica ao relacionamento.

— Rapaz, posso me identificar com isso — Greg interrompeu.

— Os Darbys desistiram ao primeiro sinal de dificuldade porque não tinham paixão pelo negócio. O sucateiro, por outro lado, amava sua vida, estava empenhado em encontrar a oportunidade de se tornar mineiro de ouro e acabou sendo recompensado por se manter fiel à sua visão.

Greg adicionou ao bloco de anotações uma nova mensagem poderosa com uma palavra em negrito e letras maiúsculas:

*Para ter sucesso você tem que ter* ***ADERÊNCIA****.*

A negligência em ampliar a visão manteve algumas pessoas fazendo uma única coisa a vida inteira.

— NAPOLEON HILL

CAPÍTULO QUATRO

# Pelos vales

No voo para casa, a cabeça de Greg era como uma Ferrari em alta velocidade quase no limite de sua capacidade em uma estrada aberta. Assim que um assunto entrava na área vermelha do tacômetro, os pensamentos passavam para outra ideia de Green.

Ele percebeu que Buckland o havia enviado para encontrar Don Green por um bom motivo. Quase todo mundo que ele conhecia tinha desistido em algum momento da vida, parado três passos antes de alcançar o sucesso. Claro, ele se incluía nesse grupo de desistentes, bem no topo da lista, na verdade.

Claro, as coisas não estavam indo bem para ele, mas queria mesmo parar só porque as coisas estavam ficando complicadas? Sabia que não lhe faltava o talento necessário para ter sucesso. Também tinha confiança de que poderia encontrar os recursos de que precisava.

De repente, ficou claro que só precisava encontrar a paixão, o ímpeto e, acima de tudo, a persistência para continuar avançando em direção ao próprio sucesso.

Agora começava a entender que parte da dificuldade era ter tentado fazer tudo sozinho. Vivia de acordo com o velho ditado que diz:

se quer algo bem-feito, faça você mesmo. O problema com essa crença era que acabava fazendo tudo sozinho.

Essa filosofia estava prejudicando sua vida profissional e pessoal. O estresse de tentar realizar tanto sozinho o deixou com pouco tempo e energia para qualquer outra coisa. Isso incluía a namorada, Mia, a quem ele realmente amava. Agora entendia completamente que não tinha se comprometido com o relacionamento.

O jeito como Don contara a história do "a três passos do ouro" realmente transmitiu a importância inegável de buscar a orientação de pessoas com conhecimento maior que o seu. Para ter sucesso, Greg precisava começar a aceitar ajuda.

Um exemplo perfeito veio à mente. Ele sabia pouco sobre contabilidade e operações, mas se considerava um gênio em vendas e marketing. (Talvez isso fosse um pouco de exagero, ele pensou...) Ultimamente, porém, perdia muito tempo com questões contábeis e estava ficando muito atrasado com as ligações de vendas.

Dessa forma, os negócios desaceleraram, e suas finanças sofreram as consequências. Ele havia parado de trabalhar seus pontos fortes. Era óbvio que precisava recrutar especialistas em contabilidade e operações para ajudá-lo e deixá-lo livre para se dedicar ao que fazia de melhor. Além disso, era o que ele gostava de fazer.

Ele anotou em seu bloco,

*Trabalhar seus pontos fortes, contratar*
*para suprir seus pontos fracos.*

Só essa atitude permitiria expandir os negócios rapidamente enquanto adquiria mais conhecimento e, ele esperava, liberaria mais tempo para fazer aquilo em que se destacava e de que mais gostava.

Assim que desembarcou, ele pegou um táxi e foi para o World Capital Building. Ao cumprimentar Buckland, seu novo mentor, ele percebeu quanto sua atitude já havia mudado dede que conhecera aquele homem.

— Sr. Buckland, uau, que ótima viagem! — O entusiasmo de Greg transparecia na voz. — Entendi por que me mandou conhecer Don. Que campeão. Mal posso acreditar que estive com o CEO da Fundação Napoleon Hill. Aprendi com ele sobre o poder de não desistir a três passos do ouro. Obrigado. — Greg respirou fundo. — E adorei a parte sobre buscar orientação de uma fonte externa. Agora entendo! Finalmente percebi que não vou ter sucesso se continuar buscando sozinho.

— De nada. Fico feliz por você ter gostado de conhecer Don — disse Buckland. — Agora, a grande questão é: o que você vai fazer com essa informação?

O discípulo disse:

— Sabia que ia me perguntar isso, então, o plano é o seguinte: no caminho para cá, marquei reuniões com algumas das melhores pessoas que pude encontrar, para poder pedir a opinião delas sobre meus negócios e minha carreira.

— Bem, isso é uma pena, porque você não vai muito longe.

— O quê? Pensei que fosse por isso que me tivesse me mandado ao encontro do Sr. Green. Achei que ficaria orgulhoso por eu ter entendido.

—É maravilhoso que você o tenha escutado. Mas queria que procurasse *conselhos*, em vez de *opiniões*.

— Qual é a diferença? — Greg perguntou, intrigado.

— É a diferença entre ter sucesso ou não. O problema é que quase todo mundo escuta a opinião de outras pessoas, em vez de pedir um bom conselho. — Buckland pigarreou. — É assim. As opiniões geralmente são baseadas na ignorância, ou melhor, na falta de conhecimento, enquanto o conselho é baseado na sabedoria e na experiência.

Greg digeriu a declaração.

Buckland continuou:

— Imagine procurar amigos ou familiares e contar a eles que quer fazer uma coisa, algo que eles nunca viveram, escrever um livro, por exemplo. Eles podem dizer que você ficou maluco, certo?

Greg sorriu ao imaginar as reações dos amigos: "Escrever um livro? Você mal consegue escrever seu nome. Você nunca vai ser um autor".

— Você pode perguntar por que eles acham que você não seria capaz disso, e eles dariam muitos motivos. Provavelmente, se concentrariam nos obstáculos e no tempo que levaria, ou no dinheiro que você gastaria, e assim por diante.

— Você deve conhecer minha família e meus amigos — Greg comentou com sarcasmo. — Eles provavelmente diriam: "Você não pode escrever um livro porque nunca leu um livro". — Mesmo que ele tivesse, finalmente, lido *Quem pensa enriquece* de ponta a ponta.

— Sim, eles provavelmente diriam isso, porque nunca fizeram nada disso. É o que chamamos de "ignorância acumulada". Agora compare essa experiência a conversar com o fundador da Executive Books, Charlie "Tremendo" Jones.

— Esse é o cara que disse aquela frase sobre ser hoje o mesmo que será daqui a cinco anos, exceto pelas pessoas que você conhece e os livros que lê?

— Ele mesmo. Além de ser um autor premiado, palestrante e amigo verdadeiro de muita gente, ele também é um grande executivo que vendeu mais de cinquenta milhões de livros operando sua empresa.

— São muitos livros.

— Sim — Buckland concordou. — Agora, imagine falar com ele sobre como escrever um livro. Provavelmente, ele teria uma visão completamente diferente da de seu círculo normal sobre sua empreitada. Ele poderia dizer: "Considerando que você é novo na área, vai ter algumas dificuldades. Mas o que você tem que saber é isto". E então ele contaria o que autores enfrentaram para chegar ao sucesso. Em seguida, ele poderia falar sobre os triunfos e as armadilhas de escrever, publicar e promover seu novo projeto. Em outras palavras, ele lhe daria bons conselhos.

— Eu entendo — disse o rapaz. — Charlie é um especialista na área, assim como o engenheiro que ajudou o sucateiro.

— Exatamente — sorriu Buckland, satisfeito por seu aluno estar prestando atenção.

— Vou resolver isso imediatamente.

— E assim que resolver — disse Buckland —, por favor, compartilhe o que aprendeu com outra pessoa, porque, no fim, o maior sucesso que você vai ter é ajudar outros indivíduos a terem sucesso e crescer.

Greg escreveu estas palavras em seu bloco de notas para consulta futura:

*Busque conselho, não opiniões, e depois passe adiante.*

— Se você estiver pronto para isso, na semana que vem quero que vá conhecer outro amigo meu. Quer ir para Vegas? — Buckland ofereceu.

— Claro, com certeza! — Greg explodiu.

— Vou dizer uma coisa, antes de combinarmos tudo; vou dar um telefonema rápido e colocar Ron Glosser na linha.

Depois do terceiro toque, uma voz alegre atendeu no viva-voz:

— Oi, Bucky. Eu vi seu nome no identificador de chamadas. Estou em reunião, mas quero saber se está precisando de alguma coisa.

— Na verdade, sim — respondeu Buckland. — Tenho um jovem aqui em meu escritório que está aprendendo alguns dos grandes princípios de Napoleon Hill, principalmente aquele de não parar três passos antes do ouro.

— Sim, eu conheço bem esse — disse Glosser.

— Você está ocupado, então, será que pode dar ao meu amigo aqui só uma dose rápida de sabedoria que ele possa levar em sua jornada? Talvez uma ferramenta que o ajude a melhorar o julgamento?

Sem nenhuma hesitação, as palavras brotaram do alto-falante:

— É claro! Absolutamente! É muito importante nunca tomar uma decisão importante no seu vale.

Greg perguntou:

— O que você quer dizer?

Glosser respondeu:

— Pense nisto. Todo mundo parece tomar decisões importantes quando está nas piores fases da vida. Podem ser períodos de desemprego, doença, fim de um relacionamento ou desastre financeiro. É diferente para cada pessoa, mas os vales criam altos níveis de emoção, e ninguém pode tomar uma decisão acertada quando se baseia em medo, perda ou decepção. Tudo na vida é cíclico; assim como surge um vale, também surge o topo da montanha. O segredo é esperar que o ciclo siga em sua curva ascendente antes de fazer qualquer movimento importante. Dessa forma, ele vai se basear no progresso, não na derrota; no potencial, não na perda. Vamos ser honestos: quantas vezes você tomou uma decisão boa e positiva a partir de uma perspectiva negativa?

"Da próxima vez, quando se deparar com uma decisão importante, pense em escapar da tempestade até voltar à curva ascendente, onde você pode começar de novo de uma base mais estável."

Greg pegou o bloco de notas e escreveu:

*Nunca tome uma decisão importante em um vale.*

— Obrigado, Ron. Foi um ótimo *insight* — disse Buckland. — Muito obrigado por tudo, vamos deixar você ir agora.

— Sim, obrigado — acrescentou Greg.

— Vocês dois, divirtam-se, conversaremos mais tarde. — Glosser desligou.

Assim que a ligação foi encerrada, Greg comentou:

— Você tem amigos incríveis. Ele está muito certo. Nem sei dizer quantas vezes tomei decisões em meus momentos mais difíceis; bem, quase todas as vezes, suponho. Se você lembra, era isso que eu ia fazer no dia em que nos conhecemos. Quem é o Sr. Glosser, aliás?

— Ron Glosser foi CEO do Goodyear Bank antes de dirigir o Milton Hershey Trust, que valia bilhões de dólares. Além disso, ele é um dos homens mais atenciosos que conheço. Outra mensagem que Ron compartilha, da qual gosto, é o poder de agir "como se".

— O que é isso? — O noviço pegou seu bloco de notas.

— Como ele explica, e é preciso concordar, "É importante agir como se você já tivesse alcançado seus objetivos. Quando se depara com os desafios da vida, é importante continuar cavando, porque os resultados estão prestes a aparecer".

— Tenho que lhe dizer, Sr. Buckland, ainda não entendi por que está compartilhando tudo isso comigo. Mas uma coisa eu sei: você e Don Green disseram que há coisas que preciso fazer quando encontrar meu objetivo, e uma delas é compartilhar o que aprendi com outras pessoas. Vou retribuir o que você fez por mim ajudando alguém no futuro, garanto.

— Muito bom — Buckland sorriu. — E é por isso que acho que você deveria conhecer meu amigo Jack Mates, em Las Vegas. Ele pode ajudá-lo ainda mais.

— Ok, confio em você — disse Greg. — Isso é empolgante.

— Em alguns dias, você vai receber uma encomenda que explicará tudo que você precisa saber. — Buckland ficou em pé. — A propósito, percebi que está usando o bloco de notas.

— Claro que sim. Isso é ótimo. Comecei até a escrever meus objetivos.

— Que ótimas notícias. A maioria das pessoas não entende o que é um objetivo.

Greg sorriu e escreveu em seu bloco de notas enquanto Buckland falava.

*Um sonho é apenas um sonho até que seja escrito. Só então se torna um objetivo.*

— Um objetivo é um contrato com você mesmo e deve se basear menos no que você quer fazer e mais no que você promete a si mesmo que vai realizar.

— Gosto disso — disse Greg.

— Um amigo meu, o autor e bilionário Bill Bartmann, faz algo especial com isso. Ele mandou fazer uns cartõezinhos e os distribui aonde quer que vá. Chama cada um de Promessa de Bolso. De um lado, tem "eu prometo". O outro lado está em branco, e é onde você escreve seus compromissos mais verdadeiros e profundos consigo mesmo. A ideia é manter o cartão no bolso o tempo todo. Cada vez que você pega a carteira ou as chaves do carro, lá está ele, agindo como um lembrete constante do compromisso que você assumiu consigo mesmo.

Seguindo esse conselho, Greg escreveu:

*Faça uma promessa de bolso.*

— Bill é um grande exemplo de nunca permitir que a adversidade atrapalhe. Houve uma época em que ele era a vigésima quinta pessoa mais rica da América. Sua corporação nasceu de uma ideia que ele teve à mesa da cozinha, e se tornou uma das empresas que cresceram mais depressa no país. Suas ideias empreendedoras foram reconhecidas pelo Smithsonian Institution, e seus princípios de liderança foram apresentados em programas de TV e revistas nacionais de costa a costa.

— Parece uma vida difícil — Greg disse baixinho.

— Espere aí, espertinho, me deixe terminar. A história não termina aí. É que Bill foi falsamente acusado de prejudicar a organização que ele mesmo criou, e foi indiciado em 57 acusações criminais.

— Caramba!

— Ele ficou arrasado. Bill conta que levou treze anos para construir um império e apenas treze minutos para perder tudo. Ele diz que soube que todos, exceto a família, o haviam abandonado quando o Natal chegou e ele recebeu só um cartão, em vez de milhares. Tinha sobrado só um amigo.

— O que aconteceu? Ele foi condenado?

— Era de se esperar, com todas essas acusações, mas ele foi absolvido em todos os processos. Recebeu um pedido de desculpas do governo, mas todo o seu dinheiro foi para pagar custas legais.

— Onde ele está agora? — Greg perguntou, interessado.

— Essa é a melhor parte. Ele poderia ter ficado amargo e adotado uma atitude tipo "pobre de mim", mas não foi o que o fez. Ele se levantou e redirecionou a atenção do que havia perdido para o que havia restado, ou seja, uma família que o amava e o apoiava. Começou a escrever e se tornou um orador talentoso. Agora viaja pelo mundo e compartilha sua história para que outros possam aprender com sua experiência. Ele até carrega aquele cartão de Natal como um lembrete de que até mesmo um ato simples pode ter um grande impacto na vida de outra pessoa. — Buckland concluiu: — Lembre-se disto, estamos sempre fluindo para mais perto ou mais longe de qualquer objetivo ao qual nos dedicamos. Todos os dias, a direção que escolhemos depende de nós.

“

Quem desiste nunca vence, e
um vencedor nunca desiste.

— NAPOLEON HILL

## CAPÍTULO CINCO

# Excepcional

Greg ouviu as nove mensagens que David havia deixado em seu celular, cada uma mais desesperada que a anterior. Ouvir era doloroso, isto é, deixava Greg desconfortável. Seu irmão adotivo tinha muita coragem... despejando toda a sua negatividade em Greg e contribuindo com suas inquietações.

"Já tenho problemas suficientes", disse Greg para si mesmo. No entanto, amava David e não queria que ele ficasse mais doente do que já estava. A bebida parecia ter tomado conta da vida dele. "Fico pensando se tem alguma coisa que eu possa fazer para ajudar", Greg considerou, enquanto discava o número de David.

— Sim — a voz atendeu do outro lado.

— Dave?

— Quem mais?

— Oh, hã, desculpe se incomodo.

— Quê? Está se desculpando por interromper sua preciosa agenda pessoal para me ligar de volta? Eu tinha quase desistido de você.

Greg queria dizer que tinha desistido de Dave havia muito tempo, mas se conteve. E disse:

— Eu quase desisti de você também.

— Muito obrigado. O que foi que eu fiz para você?

— É o que está fazendo com você mesmo, a bebida. Eu sei quando você está bêbado. Agora posso dizer que não está.

— Mas estou com uma ressaca infernal.

— Eu acredito em você. Escuta, precisa procurar ajuda. Existem lugares aonde você pode ir, terapeutas, essas coisas.

— Não posso pagar. Eu disse em uma das mensagens que perdi o emprego.

— Sim. Desculpe.

— Não tenho nenhum seguro e não vou conseguir pagar o aluguel este mês. — David não deu o próximo passo, não pediu um empréstimo a Greg, embora essa fosse claramente sua intenção.

Greg o interrompeu:

— Bom, eu também estou quebrado. Pelo menos até o próximo contrato que conseguir arrumar. As coisas estão difíceis para todo mundo.

— É, para todo mundo. Até mais. — E ele desligou.

Quando desembarcou em Las Vegas alguns dias depois, Greg não estava pensando em David ou Mia, nem na fabulosa Strip. Como sempre, havia uma convenção na cidade, e a fila de táxis em frente ao aeroporto parecia ter um quilômetro de comprimento. Esperando impaciente por sua vez, não pôde deixar de ouvir uma conversa que acontecia atrás dele.

Duas mulheres falavam sobre como ficaram entusiasmadas depois de visitar San Diego.

— Com licença — disse ele. — Ouvi que estavam falando sobre minha cidade natal. Eu nasci e fui criado lá.

As mulheres disseram:

— Sorte sua! Que lugar ótimo. — E começaram a contar quanto haviam gostado. — A melhor cidade da América.

O que parecia uma situação chata, ficar preso na fila, tornou-se uma grande oportunidade de conhecer duas jovens. Greg descobriu que cada uma delas tinha acabado de receber um prêmio de prestígio chamado TOYA (Ten Outstanding Young Americans), concedido a Dez Jovens Americanos Excepcionais, aqueles que exemplificam os melhores atributos da juventude do país, dos 18 aos 40 anos.

Também foi interessante saber que, dos mais de seiscentos jovens americanos homenageados desde 1940, muitos tiveram outras realizações: John F. Kennedy, Gerald R. Ford, Anne Bancroft, Gale Sayers, Elvis Presley, Dan Quayle, Dra. Kathryn Sullivan, Larry Holmes e Bill Clinton, só para citar alguns. O evento havia ocorrido algumas noites antes na costa oeste, e agora as duas vencedoras estavam passando por Las Vegas para uma visita. A primeira jovem, Lauren Nelson, tinha brilho nos olhos quando contou como estava honrada por integrar a lista dos premiados. Enquanto ela falava sobre as outras pessoas indicadas, sua colega vencedora do prêmio, Erin Gruwell, a interrompeu com elogios.

— Na verdade, Greg, você deve conhecer Lauren da TV.

— Sério?

— Como pode não reconhecer esse sorriso? Ela foi Miss América em 2007.

— Legal! — Greg reagiu sem jeito. — Muito divertido, não é?

Com um sorriso que poderia ofuscar o sol, Lauren respondeu:

— É uma honra.

Erin continuou falando sobre Lauren.

— Além de ser uma rainha da beleza, ela também fez parte de algo muito especial. Está ajudando a proteger as crianças de agressores *on-line*.

— Agora eu reconheço você — disse Greg. — Serviu de isca para pegar todos aqueles bandidos.

— Exatamente — disse Lauren. — Alguém precisa manter essas pessoas fora das ruas. Quando eu era mais jovem, fui abordada por uma pessoa, e sabia, mesmo naquela idade, que queria fazer a minha parte para impedir isso.

— Muito bem — disse Greg. E olhou para Erin: — E você?

Antes que ela pudesse responder, Lauren segurou Greg pelo braço e começou a contar a história de sua amiga.

— Você viu o filme *Escritores da liberdade*? — Sem esperar por uma resposta, continuou: — Hillary Swank interpreta uma professora de 150 crianças de um bairro pobre da Califórnia depois dos conflitos.

— Ah, sim, ótimo filme, e o livro também é um *best-seller*, não é?

Conforme a fila avançava, Lauren segurava o braço do novo amigo e continuava falando animada:

— Sim! Na verdade, vendeu mais de um milhão de cópias. Bem, as crianças eram consideradas desajustadas. Não gostavam de ler ou escrever, nem umas das outras, aliás, e tudo que pareciam conhecer era violência. Então chega essa professora animada que tenta unir os alunos.

— Eu me lembro bem — disse Greg. — Ela fez as crianças começarem a escrever e as ajudou a encontrar a própria voz, fazendo-as escrever sobre suas vidas.

— Muito bem — elogiou Lauren Nelson. — Você conhece a história. E esta aqui é a professora! — ela apontou para Erin Gruwell.

— Fui só um catalisador para aquelas crianças, mais nada. As histórias que contaram eram delas, de suas experiências pessoais. — Erin exibia uma modéstia autêntica. — Sempre houve desafios, desde o primeiro dia, e eles ainda existem. Recebemos ameaças de morte, cartas da Ku Klux Klan. Pessoas tentaram nos expulsar. O livro foi até enviado ao FBI para ser investigado, dá para acreditar? Mas isso nunca nos impediu, e, graças a Deus, continuamos avançando, porque as histórias dessas crianças tocaram milhões de vidas. O projeto está sendo usado até em escolas da Ivy League para ajudar a ensinar futuros professores.

— Incrível — disse Greg.

— Mas o que aprendi de mais importante — continuou Erin — é que é bom ter cuidado com o que você pede.

Sentindo que ela estava prestes a dizer algo profundo, Greg enfiou a mão no bolso e pegou o bloco de notas. Ela continuou:

— Lembre-se...

*Metas são aspirações até que se tornem reais.*
*Então se tornam responsabilidades.*

Lauren acrescentou:

— Podemos desejar uma família, um carro novo ou uma grande promoção no emprego, e, assim que conseguimos, essas coisas passam a ser nossa nova responsabilidade. Porque então temos uma família que depende de nós e um carro que precisa de seguro e manutenção. E, assim que conseguirmos aquele escritório especial, assumimos tarefas que são ainda maiores que antes.

Erin disse:

— Isso é pura verdade, e, agora que temos toda essa atenção e pessoas confiando em nós, nossa tarefa é mais importante que nunca. Devemos manter essa missão no mundo todo, mostrando que cada um de nós é muito importante e tem algo com que contribuir. Não poderíamos parar agora, mesmo se quiséssemos, mas a boa notícia é que amamos o que estamos fazendo e não temos intenção de desistir!

Era como se não importasse onde Greg estava ou com quem conversava, o tópico de encontrar o objetivo de alguém era um tema recorrente.

— E você, Lauren? — Greg perguntou. — O que a faz continuar?

— No meu caso, não tenho uma história tão dramática quanto a de Erin. Na verdade, posso dizer que minha vida teve uma perspectiva completamente oposta à das crianças com quem ela trabalhou. O que me mantém é o que chamo de fé focada.

Greg e Erin olhavam para Lauren com curiosidade.

— Vou explicar — ela disse. — No mundo de hoje, parece que as pessoas são medidas por quantas coisas conseguem equilibrar de uma vez só. Chamamos isso de multitarefa: quantas bolas podemos manter no ar em determinado momento. Depois ficamos pensando por que nada nunca é realizado. O que posso dizer é isto. No meu caso, fixar a mente em um objetivo e missão claros por vez, confiando que vai dar tudo certo, tem sido uma ótima estratégia. Isso me ajudou a realizar coisas incríveis. Ajudou até a me tornar Miss América, de forma que agora posso usar esse sucesso para concentrar a atenção em ajudar as crianças que mais precisam. Comparo isso a esquiar.

— Esquiar? — Erin perguntou.

Greg ouvia atentamente.

— Pense desta forma: imagine que é um esquiador no topo de uma montanha, e seu objetivo é descer até o fim da rampa. Pode ser desafiador, mas você tem fé em sua capacidade de chegar à sede do clube, onde a lareira está acesa e uma xícara de chocolate quente está à sua espera. Acontece que muitas pessoas desviam o olhar do fim do jogo assim que ele começa. Podem perder de vista seu objetivo ou, pior ainda, perder a fé e redirecionar a atenção para o que mais temem, vendo apenas os obstáculos pelo caminho... como gelo preto, outros esquiadores ou aquelas árvores irritantes que parecem surgir do nada.

Greg riu.

— Assim que essas pessoas encontram um contratempo ou sofrem uma queda, elas podem desistir, tirar os esquis e pedir para a equipe de segurança levá-las ladeira abaixo. Desistem de alcançar seu objetivo porque não conseguem manter os olhos no prêmio e acreditar em seus próprios talentos.

— Chegar à sede do clube, nesse caso — Erin disse.

— Exatamente! "Agora imagine essas mesmas pessoas mantendo a fé, concentradas em superar esses desafios, que são apenas parte da jornada. Então, quando encontram um obstáculo e caem, elas se levantam sabendo que esse é só mais um contratempo e que estão se aproximando de seu objetivo, o sopé da colina.

Eles estavam chegando à ponta da fila e se despediram. Greg ofereceu seu táxi às garotas e esperou pelo carro seguinte. Surpreso por não estar impaciente, ficou ali esperando e pensando no que havia aprendido.

Uma vez no táxi, ligou de seu celular para o número de Mia. Estava irritado porque ela não atendia, obrigando-o a deixar mais uma mensagem, a mais recente de várias, até perceber que tinha feito a mesma coisa com David.

Pobreza e riqueza são frutos do pensamento.

— NAPOLEON HILL

## CAPÍTULO SEIS

# Fórmula do sucesso

Greg pagou a corrida e deu ao motorista uma gorjeta generosa, agradecendo a hospitalidade e a viagem do aeroporto até ali. Quando voltou ao seu lugar ao volante, depois de ajudar o passageiro com a bagagem, o taxista desejou que todos os clientes fossem tão amigáveis e generosos quanto aquele.

Mal sabia ele que, antes de conhecer Buckland, Greg raramente agradecia a alguém ou dava boas gorjetas. Alguma coisa estava mudando.

Greg ainda não tinha atravessado o saguão do hotel quando seu celular tocou.

Uma voz profunda e controlada disse:

— Bom dia. Aqui é Jack Mates.

— Olá, Sr. Mates.

— Só Jack. Soube que você e eu vamos nos encontrar mais tarde hoje.

— Sim, e estou ansioso por isso. Onde nos encontraremos?

— Tem um café na Riviera chamado Kady's. É um clássico. Falam sobre demolir o lugar há anos. Você precisa experimentar antes que desapareça.

— Parece perfeito — concluiu o turista. — Vamos combinar por volta da uma hora, para evitar o movimento do horário do almoço.

Greg chegou cedo ao café. Quando Jack chegou, ele o identificou imediatamente, embora os dois nunca tivessem se encontrado. Vestido com uma camisa social bem passada e suéter, Mates tinha aparência sofisticada e uma aura positiva.

— Você deve ser Greg — disse ele, estendendo a mão para cumprimentá-lo. — Buckland me pediu para conhecer apenas um punhado de pessoas durante todos esses anos. Você deve ser especial.

— Eu não sabia disso. Obrigado por me contar. É uma honra conhecê-lo.

Quando eles se sentaram frente a frente à mesa, Mates perguntou:

— Como posso ser útil?

— A mim? — Greg estranhou. — Ninguém nunca me fez essa pergunta. Eu deveria estar perguntando como posso ser útil a você. Li sua biografia no voo e preciso dizer que me sinto honrado por estar sentado com você aqui. Saber que é ex-CEO da *Velcro USA*, que é um herói de guerra e que ajudou a iniciar a *Distinguished Flying Cross Society* me intimida um pouco.

Jack disse:

— Oh, eu não me vejo como herói, mas como um patriota que fez sua parte para servir ao país e a uma causa maior.

— Então, deixe-me mudar de assunto e perguntar sobre a *Velcro* nos primeiros dias. Como foi?

— Foi emocionante. Porém, quando foi lançado, o produto definitivamente não foi recebido com entusiasmo. Além disso, houve muitos outros desafios ao longo do caminho. A maioria das pessoas provavelmente teria desistido em algum momento.

— Desafios? — Greg perguntou.

— Ah, sim. Veja, quando começamos, identificamos as possibilidades incríveis do velcro, mas tivemos que passar por anos de pesquisa e desenvolvimento, como a maioria dos fabricantes de outros produtos.

— Por exemplo?

— Bem, para começar, era preciso que os fixadores funcionassem da maneira certa. A ideia surgiu originalmente do inventor suíço George de Mestral depois de ter passeado com o cachorro por um campo. Ele descobriu que o pelo do cachorro e sua calça estavam cobertos de carrapichos, e isso o fez pensar como seria útil recriar a ação de fixação em produtos de uso diário. A parte irregular se prendia ao material macio e criava a aderência. Tentar reproduzir isso em um tipo de produto foi nosso primeiro obstáculo. Você não pode fabricar um "fixador" como o dos carrapichos com linha ou fio de poliéster.

— O que você fez?

— Descobrimos que, se fizéssemos voltas simples com a linha e as cortássemos ao meio, elas se retrairiam automaticamente e formariam dois ganchos em direções opostas, fornecendo o resultado que estávamos procurando.

— Parece simples. — Greg bebeu um gole de café.

— A maioria dos desafios na vida tem soluções simples. Às vezes, você só precisa dar um passo para trás e avaliar a situação. Observar de diferentes ângulos para ter a melhor perspectiva. Você não acreditaria quantas tentativas tivemos que fazer para descobrir o fixador velcro.

Greg pegou seu bloco de notas e escreveu:

*Às vezes você tem que dar um passo atrás e olhar*
*para a sua situação de um ângulo diferente*
*para encontrar uma solução diferente.*

Greg, então, fez a pergunta que vinha passando por sua cabeça desde que soubera que encontraria aquele inovador da indústria.

— Sou da área de vendas, estou nela minha vida inteira. Preciso saber de uma coisa, e você pode ser a única pessoa capaz de explicar: como conseguiram vender velcro para cinco bilhões de pessoas?

— Não conseguimos — ele respondeu depressa. — Vendemos velcro para cinco pessoas.

Greg olhou para o companheiro de almoço com expressão confusa.

Mates disse:

— O que fiz foi atrair os líderes. Eu sabia que demoraria uma eternidade para descobrir e vender para todo mundo as diversas utilidades desse material engenhoso, então, decidi vender apenas para cinco indivíduos específicos: os chefes das indústrias automotiva, médica, aeroespacial, de moda e de móveis. Em outras palavras, conquistei os líderes e deixei que controlassem seus mercados individuais. Por sua vez, eles descobriram as aplicações do produto e as venderam aos consumidores finais.

O cérebro de Greg se empolgou com a simplicidade e a magnitude dessa mensagem.

— Agora — Mates adicionou — parece que você não consegue encontrar um par de sapatos, um assento em um avião ou um medidor de pressão arterial sem essas coisas. Estão por toda parte.

Greg abriu o bloco de notas e escreveu:

*Capture os líderes, monopolize o mercado.*

Greg perguntou:

— Então, antes de chegar a esse nível, foi muito difícil nos primeiros anos?

— Muito. O que nos manteve em movimento foi o senso de propósito. Como mencionei, foram necessários muitos anos de tentativa e erro até o produto funcionar corretamente. Sabíamos que isso iria revolucionar a indústria de fixadores e precisávamos continuar. Não importava o que aconteceria, nós simplesmente não desistiríamos. Como em muitas *startups*, chegamos ao ponto em que não podíamos pagar a folha de pagamento, e tive que hipotecar minha casa para pagar o pessoal. Esse era meu grau de comprometimento com o sonho.

— Isso é incrível. Eu gostaria de poder encontrar algo pelo qual eu fosse tão apaixonado.

— Você pode! — Mates exclamou. — Acho que é por isso que Bucky o enviou para mim, para descobrir sua Equação de Sucesso.

— Ah, sim, o Sr. Buckland falou alguma coisa sobre isso.

— Outro jovem de quem sou mentor criou esse conceito e o incluiu em um filme que ele fez chamado *Pass It On*. Depois de entrevistar centenas de líderes, ele traduziu em palavras o que essas pessoas fizeram para criar uma vida de abundância sustentada. — Jack fez uma pausa e olhou para o bloco de notas de Greg. — Pode me emprestar?

— Claro — disse Greg, empurrando o bloco na direção dele.

Jack Mates abriu uma folha em branco e escreveu:

$$(P + T) \times A \times A = \textit{Sucesso}$$

Apontando para a primeira letra da equação, P, Mates disse:

— Isso significa paixão. Combine sua paixão, o que você faria se pudesse fazer de graça — ele apontou para a letra T —, com seu talento, aquilo em que é realmente bom. Multiplique isso encontrando a associação certa — e apontou para o primeiro A —, que significa trabalhar com as pessoas ou organizações certas, e então agir — ele apontou para o segundo A —, e você vai poder descobrir seu objetivo de vida. Faça isso e vai ter grande sucesso. Funciona.

— Hmm — Greg refletiu enquanto olhava para a equação. — Mas e se minha paixão for o basquete profissional? E meu talento for, digamos, gerenciamento? Junte a isso o fato de eu ser um homem careca e fora de forma. Seria difícil conseguir viver disso, certo?

— Certo e errado — observou Jack com um sorriso. — Se você ama basquete e é um ótimo gerente, não poderia simplesmente encontrar a associação certa e agir para se tornar um treinador de basquete em um *campus* local, tornar-se um locutor de esportes na TV ou rádio, comprar um time, abrir uma loja de roupas de basquete, vender ingressos para as partidas, tornar-se operador de câmera na arena esportiva?

— Entendi, entendi! Não importaria a posição, porque eu ainda estaria combinando o que amo com o que faço melhor. Portanto, faria algo que amo, em que sou bom, com as pessoas certas.

— Você entendeu. Todas as pessoas têm sua própria equação do que é melhor para elas.

— Sério?

— Com certeza — disse Jack. — Conheço alguém que gostava de viajar. Essa era sua paixão. Como você, ele também era um grande gerente. Então, criou uma carreira para si mesmo ligando para os melhores *resorts* do mundo e oferecendo seus serviços de cliente oculto. Agora, tudo o que ele faz é viajar para lugares exóticos, se hospedar nas melhores suítes, pedir serviço de quarto, jogar golfe e fazer tratamentos de *spa*. Ele avalia os serviços e relata suas descobertas aos *resorts* para que possam fazer melhorias e, assim, ajuda a criar a melhor experiência possível para os hóspedes.

— Entendo. Ele seguiu sua paixão, combinou-a com seu talento, agiu criando sua posição e se associou a hotéis cinco diamantes. Isso é incrível. — Greg pegou a conta para pagar. — Existe um processo para aplicar a equação?

— Sim, e é muito simples. — Jack virou outra folha do bloco e começou a escrever enquanto falava. — De um lado, liste dez coisas que você faria se pudesse fazê-las de graça. Pode ser qualquer coisa que faça seu coração vibrar. Em seguida, do outro lado, liste dez coisas em que você é bom e em que se destaca. Depois, procure as pessoas que o conhecem melhor e peça ajuda a elas. Ouça a opinião dessas pessoas e remova um item de cada lado de sua lista até que você fique com apenas dois, um do lado da paixão e um do lado do talento. Em seguida, encontre uma maneira de combinar essas duas coisas. Depois de concluído, comprometa-se a agir junto à associação certa e você terá descoberto sua própria Equação de Sucesso.

*Paixão de um lado de 1 a 10*
*Talento do outro de 1 a 10*

— Você tem meu número. Telefone, se eu puder ajudar em sua jornada. Você tem boa energia e parece determinado a aprender. Entendo por que Buckland está apoiando você.

Com essas palavras de incentivo, Mates e Greg se despediram, e Greg voltou para o hotel. Ele precisava ligar para alguém com quem estava tentando falar havia vários dias.

Tudo o que a mente do homem pode conceber e acreditar, ela pode alcançar.

— NAPOLEON HILL

## CAPÍTULO SETE

# Paixão

Depois de respirar fundo algumas vezes, Greg criou coragem e usou a discagem rápida do celular. Seu coração pulou para a garganta quando ela atendeu.

— Oi, Mia, sou eu.

— Oi, Greg, como vai? — disse ela.

Ele andava pelo quarto de hotel, um aposento que era mais confortável que sua casa. E respondeu, inseguro:

— Tenho que admitir que tem sido difícil, mas estou aprendendo muito. Ultimamente, tive meus piores e melhores momentos de todos os tempos.

Sem se referir ao comentário dele sobre os "melhores momentos", Mia disse:

— Desculpe pelo apartamento. Eu estava com raiva quando saí e provavelmente me excedi um pouco levando tudo.

Era o momento da verdade. A primeira vez que falava com a namorada, ou melhor, ex-namorada, desde que ela o deixara. O coração disparou. Ele continuou a conversa, sem saber para onde estava indo ou como terminaria.

— Tudo bem — disse. — E, por falar nisso, o bilhete que você deixou na foto me acertou em cheio. Acho que estava colocando tudo à frente do nosso relacionamento. Sinto muito por isso.

— Esse não é o único problema — disse ela. — Não era só porque você estava sempre ausente e em trânsito, você parecia estar indo a lugar nenhum. Nunca se comprometia comigo ou com você mesmo. Nunca terminava nada. O que aconteceu com todos aqueles sonhos que tinha? O que aconteceu com o homem por quem me apaixonei? Você mudou.

— Engraçado você mencionar isso. Bem, talvez não seja tão engraçado, mas é realmente por isso que tenho ligado. Conheci algumas pessoas ótimas recentemente e tenho feito análises de consciência bem sérias. Queria dividir com você o que descobri.

Houve uma longa pausa antes de ela dizer:

— Não sei. Acho que não quero ver você agora. Vou dizer uma coisa: sempre vou amar você e lembrar da pessoa que você é por dentro, não essa pessoa que tentou vender. Você tem um coração enorme. Só queria que pudesse ter compartilhado ele comigo de vez em quando. Eu me apaixonei pelo sonhador, Greg, não pela imagem de quem você estava tentando ser.

— Eu não culpo você por isso, Mia. Bom, não é bem assim. Eu não culpo você por *nada* disso. Estou começando a ver qual tem sido meu papel e como estraguei tudo.

O silêncio dela era mais incentivo que repreensão – pelo menos foi assim que Greg decidiu interpretar.

— Também quero que você saiba que tenho conversado com David. Ele está no fundo do poço, e não sei o que fazer. Eu me sinto totalmente impotente para ajudá-lo.

— Vou rezar por ele — prometeu ela. — E por você, Greg.

Quando ela desligou, Greg realmente entendeu. Ela estava certa. O que tinha acontecido com o cara cheio de sonhos? O que tinha acontecido com aquela pessoa com tantas ideias? Tinha deixado de ser o homem que ela conhecia e amava?

Poderia mudar de novo?

Ele se lembrou do que Buckland havia dito:

*Um sonho é só um sonho até que seja*
*escrito. Só então se torna um objetivo.*

Antes que a mente pudesse prosseguir pelo caminho estreito da fantasia não realizada, o telefone tocou, trazendo-o de volta ao presente. Era seu mentor.

— Oi, senhor Buckland — respondeu Greg, tentando deixar de lado a tristeza que sentia e substituí-la por um sorriso. Então entendeu: "agir como se" tinha a ver com isso...

— Escute, amanhã, no caminho de volta — disse Buckland —, quero que faça um pequeno desvio e conheça outra pessoa. Vamos mandar o localizador da passagem para você. E, ah, sim, falei com o Mates, e ele disse que vocês dois realmente se deram bem. Estou orgulhoso de você. É por isso que decidi mandá-lo para conhecer outra pessoa que considero muito especial. Traga um sanduíche para mim.

Greg perguntou:

— Um o quê?

— Um sanduíche. Tenho que correr. Eu entro em contato.

Agora o rapaz sorria de verdade. Buckland havia dito que estava orgulhoso dele. Tinha esperado a vida inteira para ouvir essas palavras do próprio pai. Até a namorada se decepcionara com ele. Graças a Deus pelo Sr. Buckland. Esse novo caminho que ele agora trilhava fazia as pessoas se orgulharem dele. Talvez as coisas estivessem mudando, afinal.

Greg sentou-se, ligou o notebook e abriu a mensagem do escritório de Buckland. Teria que estar no aeroporto às cinco da manhã. Felizmente, não demoraria muito para fazer as malas, e o hotel ficava perto do aeroporto. O destino: Atlanta, Geórgia.

Na manhã seguinte, quase em cima da hora, Greg embarcou no voo ainda esfregando os olhos sonolentos. Foi quando ele descobriu que Buckland tinha comprado uma passagem de primeira classe para ele. Esse era um luxo que nunca bancava para si mesmo, embora morasse em um apartamento luxuoso.

Distraído com o ambiente da área da primeira classe, quase não notou quando alguém se sentou a seu lado. Era uma mulher pequena, para dizer o mínimo. Embora com apenas 1,50 metro de altura, ela era dona de características muito especiais.

— Eu não a conheço? — ele perguntou antes que pudesse se conter.

— Não sei — a mulher respondeu. — Meu nome é Julie Krone. Prazer em conhecê-lo.

Greg estalou os dedos.

— Você é jóquei. Foi capa da *Sports Illustrated* e foi eleita uma das atletas mais duras de todos os tempos pelo *USA Today*.

— É, sou eu.

Ela era dona de uma voz diferente, meio infantil. Em 2000, Julie Krone se tornara a primeira mulher a entrar no *Thoroughbred Hall of Fame*, com 3.704 vitórias. Seus rendimentos totalizaram mais de US$ 90 milhões, e o espírito de vitória lhe havia rendido o prêmio ESPY de melhor atleta feminina dos EUA em 1984.

— Você ganhou muitas corridas. Nunca caiu e fraturou nada?

— Na verdade, caí várias vezes e quebrei quase tudo — disse ela. — As costas, a perna, tornozelo, costelas, pode escolher – mas isso não me deteve. Não há nada como fazer o que você ama e ganhar para isso.

— Já ouvi dizer que sim — ele concordou, lembrando-se das conversas com seus mentores. — É difícil ser mulher em uma área dominada por homens?

— Sim e não — respondeu ela. — Ser homem ou mulher não acrescenta ou subtrai nada em nosso esporte. O desafio era a mentalidade de muitos proprietários e criadores, que simplesmente se recusavam a contratar uma jóquei.

— Como você superou isso?

— Superando. — Ela sorriu. — Lembro de um veterano que disse: "Julie, eu sei que você é uma grande jóquei, mas nunca vou colocar uma garota em cima de um dos meus cavalos". E eu pensei comigo mesma: "Cara, você acabou de pintar um alvo na sua cabeça". Provar que ele estava errado passou a ser minha missão. Em alguns anos, depois de eu ter acumulado todas aquelas vitórias, incluindo uma *Breeders' Cup*, ele mudou de ideia. Acabei ganhando muitas corridas para aquele homem.

— Isso a incomodou, ouvir "não" o tempo todo?

— Claro, mas tirei alguma coisa disso. Um objetivo! Na verdade, ele me fez um favor, me deu o combustível para manter aceso o fogo dentro de mim. Encarei sua atitude como um desafio. Descobri que, se eu aparecesse todos os dias e fizesse o meu melhor, eles acabariam me colocando em cima de um cavalo só para se livrarem de mim.

Greg escreveu em seu caderno:

*Continue aparecendo!*

Então, com um brilho nos olhos, Krone acrescentou:

— E tenha fé! Foi a fé que me impediu de cair do precipício quando as coisas estavam realmente ruins. As adversidades e lesões que sofri ao longo do caminho foram exatamente as coisas que, hoje, me ajudam a ter mais paz e segurança em minha vida.

Julie Krone olhou para Greg e virou o jogo ao perguntar:

— Qual é a sua história? Qual é o seu desejo ardente?

— Gostaria de saber — respondeu ele. E pensou em Mia... no grave problema de David com a bebida... nas próprias esperanças e sonhos diante dos crescentes obstáculos financeiros... Qual era o seu desejo mais querido?

Nas horas seguintes, ele contou sua recente jornada e sobre as dificuldades com a namorada, a decepção com David e o conceito por trás da Equação de Sucesso. Não conseguia acreditar que estava se abrindo assim. Krone era uma grande ouvinte e o ajudava a se concentrar em seguir em frente.

Foi impossível não se perguntar se poderia ter salvado seu relacionamento com Mia se tivesse se aberto com ela desse jeito.

Greg virou uma página do bloco de notas, e ele e Julie começaram a trabalhar em listas pessoais e a compartilhá-las.

Olhando para a própria relação, Greg não pôde deixar de notar uma semelhança recorrente. Era a visão que ele um dia havia tido de como seria sua vida, e agora estava escrito ali, em tinta preta diante dele.

A paixão por escrever aparecia repetidamente. Uma de suas primeiras ambições fora ser repórter. Seu irmão adotivo, David, era escritor e havia tido algum sucesso nessa profissão antes que o álcool o desviasse.

Na coluna do talento, Greg tinha habilidades de comunicação. Tinha boa aparência, quando queria, e, evidentemente, não tinha dificuldades para encontrar outras pessoas e iniciar conversas com elas.

Ultimamente, havia começado a questionar suas motivações profundas e alguns comportamentos superficiais, egoístas... meio que fazendo um balanço de seus ativos e passivos. E estava aprendendo a ouvir, o que fazia toda a diferença.

— Como posso juntar os dois lados, encontrar a associação certa e, em seguida, agir para conquistar o sucesso? — perguntou.

— Isso é fácil — disse Julie. Ela apontou para os dois itens restantes em sua lista. — Você deve escrever sobre as pessoas que está encontrando e o que está aprendendo com elas.

Naquele momento, ele foi tomado pela inspiração. O Sr. Buckland tinha usado o exemplo de escrever um livro e perguntado como seus amigos e familiares reagiriam a isso. Em seguida, havia falado sobre pedir conselhos a Charlie "Tremendo" Jones, em vez de para essas outras pessoas. Poderia ter sido só uma feliz coincidência, mas, no momento em que Julie falou sobre ele ser um escritor, as nuvens do lado de fora do avião se dissiparam e um feixe de luz atravessou as janelas, enchendo a cabine de luz.

— Isso foi estranho, que coincidência — ele gaguejou, enquanto os dois se entreolharam com espanto e apreciaram o momento *Além da Imaginação.*[2]

— Tudo acontece por uma razão — uma voz comentou do outro lado do corredor da primeira classe. Um homem se inclinou e falou com Greg e Julie Krone. — Não pude deixar de ouvir a conversa de vocês e acho que pode ser sua missão compartilhar a Equação de Sucesso com outras pessoas que podem lucrar com isso. Parece que você gosta tanto de escrever quanto de aprender a ter sucesso!

---

2. "Além da Imaginação", ou *The Twilight Zone,* em inglês, foi uma série televisiva norte-americana exibida pela primeira vez em 1959. (N.E.)

Greg coçou a cabeça, perguntando-se por que não havia pensado em escrever antes.

A nova voz continuou:

— De volta à palavra coincidência, ou co-incidência, em que duas partes de um todo se encontram em perfeita harmonia. Você pode estar neste avião por um motivo maior do que apenas ir para Atlanta.

Quem era aquela pessoa?

— Permitam que me apresente — disse o homem enquanto estendia a mão para entregar dois cartões de visita. Seu nome era Richard Cohn, e ele era o editor do *best-seller* internacional *O segredo*. — Parece que o mundo inteiro está cheio de livros de autoajuda e enriquecimento que dizem que você precisa ser rico, feliz e bem-sucedido, mas poucos realmente contam como conseguir tudo isso. O que você acabou de descobrir pode ser seu *Segredo* que outros adorariam aprender.

— Sério? — Greg perguntou. — Você acha?

— Claro. Encare os fatos. Se você unir sua paixão por escrever e aprender com outras pessoas e com seu talento para comunicação e, em seguida, agir seguindo a liderança de seus mentores, terá os ingredientes para um livro muito bom. Também parece que você já tomou uma atitude ao viajar e documentar o que descobriu. Além disso, tem a última peça do quebra-cabeça, a associação, ao conhecer o CEO da Fundação Napoleon Hill. Um dos valores declarados da minha empresa é: "Colaboração é essencial para criar milagres". Acho que você pode ter a combinação vencedora para o sucesso, e ainda vai ser capaz de ajudar muitas pessoas.

Greg reconhecia a validade dessa ideia enquanto absorvia a informação que tinha acabado de receber. Aquele era, definitivamente, o bom conselho de um especialista, não uma mera opinião. E ele escreveu no bloquinho:

*A colaboração é essencial para criar milagres.*

— Teve dificuldades para começar nos negócios? — Julie Krone perguntou a Cohn.

— Claro, foram muitos os desafios, principalmente financeiros. Nos primeiros 22 anos, foi realmente difícil. Publicávamos livros em que acreditávamos, mas eles nunca despertavam o interesse popular. A propósito, conheci Don Green em uma feira de livros, anos atrás, e posso dizer que ele é um líder em nosso setor.

Greg se intrometeu.

— O que o manteve ativo durante os tempos difíceis?

— O saber — respondeu ele.

— Como assim? — perguntou Krone.

— Eu ouvi uma entrevista com um famoso maestro, Jahja Ling. Ele foi uma daquelas crianças-prodígio que tocavam piano e frequentavam a escola aos quatro anos. Aos dezoito, ganhou uma bolsa Rockefeller para estudar na Juilliard School of Fine Arts. Depois, fez doutorado e se tornou um dos maiores maestros de nossa época. Na verdade, ele agora reside no sul da Califórnia e dirige a Sinfônica de San Diego.

— Minha cidade. Vou ter que conhecê-lo — Greg disse.

Cohn continuou:

— Quando questionado sobre o que o inspirou a continuar a busca por seu propósito, a resposta dele foi: “Saber”. Ele disse que há uma grande diferença entre acreditar em alguma coisa e conhecê-la. Por exemplo, o que seria mais poderoso, acreditar que um dia você encontrará o amor verdadeiro? Ou saber que alguém está esperando por você, e tudo o que você precisa fazer é ir encontrar essa pessoa?

Greg escreveu em seu caderno:

*Saber – há uma grande diferença entre*
*acreditar em alguma coisa e conhecê-la.*

— Eu concordo — disse Julie Krone. — Isso foi exatamente o que me fez continuar quando nenhum proprietário ou criador me colocava em cima de seus cavalos. Mas nunca pensei nisso dessa forma. Acho que sempre soube que seria uma das melhores na minha área e percebi que pagar minhas contas era apenas parte do processo. Então, não deixei isso me atrapalhar ou derrotar. Eu simplesmente sabia a que estava destinada.

— Precisamente — disse Cohn. — E foi isso que também manteve nosso negócio funcionando. Quer dizer, foi difícil, podem acreditar. Uma vez estimei que gastava 60% do meu dia atendendo credores. Em um momento muito difícil, nosso contador insistiu que conversássemos com os advogados para tratar da falência. Quando saímos da reunião, rimos alto. Eles queriam US$ 30 mil para nos representar. Se tivéssemos US$ 30 mil, primeiro, não precisaríamos pedir falência.

— O que você fez? — perguntou Greg.

— Continuamos em frente, certos de que nossa hora estava chegando. Não queríamos desistir em um momento ruim.

Aí estava de novo, Greg pensou consigo mesmo, reconhecendo um eco do conselho de Ron Glosser: "Não tome decisões importantes em um vale".

— Então, finalmente, encontramos nosso novo projeto e, há apenas dois anos, publicamos o livro de Rhonda Byrne, *O segredo*. Vendeu seis milhões de cópias nos primeiros doze meses. Saímos das dívidas, e seu sucesso nos tornou todos milionários.

— Que história ótima — disse Julie Krone.

— Parece que você tinha três elementos da equação funcionando para você — disse Greg. — A paixão por livros, o talento para publicar e suas ações. No entanto, você precisava da associação certa para chegar ao topo.

— Sim, e demorou só 22 anos para nos tornarmos um sucesso da noite para o dia — Cohn respondeu, rindo.

Quando o avião pousou, os três trocaram informações de contato e se despediram com abraços. Greg fechou os olhos por um momento para refletir sobre o que estava acontecendo com ele. Finalmente sentia um propósito, como se pudesse estar perto de encontrar alguma coisa que definiria sua fórmula de sucesso.

O que continuava ecoando em sua mente era o conceito de fé, a importância da fé. Como Lauren Nelson havia chamado? Fé focada. Ele se lembrou de como Mia tinha se oferecido para rezar por ele e por David. Até mesmo David, em sua confusão, parecia ter um pressentimento de que o poder de curar seu problema estava dentro dele, se agisse para se modificar.

Diga ao mundo o que você pretende fazer, mas primeiro mostre."

— NAPOLEON HILL

## CAPÍTULO OITO

# Pare de planejar

Um carro esperava por ele fora do terminal principal. Greg teve que sorrir. O carro havia sido pintado para parecer uma vaca e tinha uma inscrição e um sinal distintivo que dizia: "Coma mais frango". Quando o carro partiu levando Greg, turistas tiravam fotos do veículo colorido e apontavam a inscrição.

Greg percebeu que estava prestes a conhecer uma verdadeira lenda — alguém sobre quem tinha lido durante anos e sempre havia admirado. Ao parar no portão do grande conglomerado corporativo, ele experimentou uma empolgação infantil. Isso o fez lembrar da emoção que sentira quando o pai o levou ao primeiro jogo de beisebol.

A placa dizia "Bem-vindo ao Chick-fil-A", e era uma visão acolhedora. Animais vagavam pelo complexo de setenta acres. Muitas árvores gigantes ao redor do lago floresciam, e as pessoas passeavam pelos jardins.

Greg ainda não conseguia acreditar que Buckland havia marcado um encontro entre ele e Truett Cathy, um grande bilionário humanitário e empresário do mercado de *fast-food*. Atribuíam a ele o crédito pela invenção do sanduíche de frango.

Talvez por isso o Sr. Buckland tivesse pedido para levar um para ele, pensou Greg.

Mesmo que não fosse um grande leitor, Greg tinha lido alguns livros sobre Truett Cathy. (Outra vez isso, a frase de Buckland sobre os livros que você lê e as pessoas que encontra.) Ele também ouvira dizer que Cathy havia parado de dar entrevistas a qualquer pessoa. Como Buckland tinha arranjado isso e, mais importante, por que Cathy estava disposto a atender ao pedido para recebê-lo?

Ao sair do carro colorido, o visitante foi conduzido ao posto de segurança. Sua foto foi tirada, e ele recebeu um crachá especial de convidado VIP. Um guia simpático o conduziu até o elevador. Quando chegaram ao último andar, Greg foi recebido por outra assistente alegre.

— O Sr. Cathy está esperando por você. Por favor, siga-me.

Greg não pôde deixar de notar o enorme teto de vidro que cobria toda a estrutura de cinco andares. Estava quase tonto de ansiedade.

A guia o levou ao escritório da lenda dos negócios, um homem de 87 anos.

— Olá, meu jovem — disse o Sr. Cathy. — Entre e sente-se.

Greg sentou-se e olhou em volta. As paredes do escritório eram decoradas com recordações e fotos de família, mas o que se destacava era o pôster de um alpinista chegando ao cume. Ele também notou o prêmio Horatio Alger sobre a mesa, uma homenagem muito respeitada no mundo dos negócios.

Os membros da Horatio Alger Association of Distinguished Americans formam um grupo seleto de indivíduos com um amplo espectro de experiências de vida. De forma semelhante aos personagens das histórias de Horatio Alger Jr., os membros da associação tradicionalmente começaram a vida em circunstâncias humildes ou economicamente desafiadoras. Apesar dessa adversidade inicial – muitos diriam, na verdade, que por causa disso –, eles trabalharam com grande diligência para alcançar o sucesso e realizar seus sonhos.

— Então me diga, como posso ajudá-lo? — Cathy perguntou, tirando Greg de seu devaneio.

Mais uma oferta explícita, outro empresário bem-sucedido se oferecendo para ser útil. Era como se todas as pessoas que conhecia agora quisessem estender a mão e ajudar os outros.

— Estou honrado por ter esta oportunidade de aprender com você. — E Greg adotou imediatamente seu estilo direto. — Qual é o segredo do seu sucesso?

Cathy inclinou a cabeça para o lado e sorriu da pergunta repentina.

— Parar de planejar muito — respondeu.

— O quê? — Greg deixou escapar.

— Parar de planejar muito — Cathy repetiu.

— Isso vai contra tudo que já ouvi ou me ensinaram — disse Greg.

— Imagino que sim, mas você perguntou o que funcionou para mim, e eu respondi — disse Cathy. — É assim, meu jovem. Faça o que fizer, você precisa ter um objetivo, um destino em mente. Mas, depois de fixar os olhos no destino, apenas siga nessa direção, tenha fé de que vai chegar lá, e o "como" se resolve.

— Com todo o respeito, Sr. Cathy, ouvi o que disse, mas é difícil acreditar.

Truett Cathy se inclinou na direção do jovem visitante.

— Você parece ser um rapaz muito astuto, e, no ano passado, aposto que teve muitos planos.

Greg concordou com um aceno de cabeça.

— Quantos desses planos deram certo para você?

Greg pensou em seus últimos 365 dias. Na verdade, nada tinha saído como ele planejara. Estava em declínio durante todo esse tempo, financeiramente falando.

— Entenda, você pode alcançar algum resultado final de vez em quando, o que significa que pode conquistar um objetivo, mas a maneira como pretendia alcançá-lo provavelmente era diferente da realidade.

Greg percebeu que aquela observação tinha que ir para o bloco de notas:

*Pare de planejar demais.*

Cathy continuou:

— Vou dar um exemplo. Digamos que você tenha o objetivo de chegar ao fim da rua. Esse é o começo, porque você estabeleceu uma meta. Então o que precisa fazer é sair de casa e começar a andar nessa direção, simples assim. Agora, se você seguir um plano específico, dar dois passos, parar, dar dois passos, parar, e assim por diante, pode acabar perdendo todas as oportunidades inesperadas ao seu redor.

— Oportunidades? — disse Greg.

— Sim. Veja bem, enquanto as pessoas que planejaram seu caminho estão se concentrando em contar seus passos e na própria respiração, alguém como eu está olhando em volta para ver se alguma criança esqueceu a bicicleta ou o *skate* para tornar minha jornada mais rápida. Eu não planejei isso, só mantive os olhos abertos para as possibilidades.

Greg sorriu ao pensar naquele homem de 87 anos em cima de um *skate*.

— Entendo totalmente. Você tem um destino em mente, vai na direção dele e, em seguida, busca oportunidades ao longo do caminho.

— Exatamente! E, se você tiver muita sorte, um vizinho pode passar e oferecer uma carona, e você pode chegar lá em pouco tempo.

Greg ficou em silêncio por um momento antes de fazer outra pergunta.

— Está dizendo que nunca planejou seu sucesso?

— Eu não planejei que a Chick-fil-A acontecesse. Simplesmente aconteceu. Claro, eu tinha o objetivo em mente, mas não tinha ideia de como isso ia acontecer. Quando saí do Exército, abri o Dwarf Grill, em 1946. Chamei de Dwarf Grill porque tinha apenas dez bancos e quatro mesas, e Dwarf significa anão. Vinte anos depois, na década de 1960, desenvolvi o sanduíche de frango cozido na pressão e abri o primeiro restaurante Chick-fil-A, em Atlanta. Como eu disse, continuei avançando em direção à minha visão, com fé no processo, e o "como" se abriu para mim. — Cathy então convidou: — Quer fazer uma visita?

— Eu adoraria. — Greg se levantou da cadeira e seguiu o anfitrião para o corredor. — Eu vi aquela foto de um alpinista no seu escritório. Já foi um caçador de emoções?

— Mais ou menos. Mas a imagem é mais um lembrete e um símbolo do que criamos aqui — respondeu Cathy. — O alpinista representa minha vida profissional. Não ter medo de vencer nenhum desafio, por mais alto que seja, por mais íngreme que seja. Também me lembra de sonhar grande e nunca parar antes de chegar ao topo. Também representa a maneira como faço as coisas.

Greg rabiscou:

*Sonhe grande e nunca pare antes de chegar ao topo.*

Depois perguntou:

— Faz o quê, exatamente?

— Como deve saber, um montanhista corre grandes riscos para chegar ao próximo nível rumo ao objetivo. Eu sou assim. No entanto, ele deve ter cuidado para não arriscar a vida, por não ter uma corda salva-vidas e outros apoios.

— Corda salva-vidas?

— Sim, a cada seis metros, mais ou menos, o alpinista se amarra à montanha, para não despencar se escorregar ou fizer um movimento descuidado. Ele só cai poucos metros, até onde esteve preso da última vez.

— Isso faz sentido — disse Greg. — Pensando bem, gostaria de ter feito isso na minha vida. Parece que sou o tipo de cara que vai no tudo ou nada.

No caderno ele escreveu:

*Escale com segurança, mas suba até o topo.*

Cathy o viu fazer a anotação.

— É normal dar grandes saltos na vida; na verdade, para progredir, isso é necessário. Também não tem problema em não apostar tudo em cada decisão que tomar. Dê a si mesmo um pouco de espaço para respirar. — Ele apontou para a entrada do edifício. — Lá está minha coleção de carros.

Os olhos de Greg brilharam como os de uma criança em uma loja de doces. Ele se beliscou, porque ainda estava pasmo por Truett Cathy estar mostrando sua coleção de automóveis antigos. Cada um era de um ano que havia representado um marco em sua vida. Cathy explicou o significado de cada veículo, dando detalhes sobre os próprios carros. Era apaixonado por cada um deles.

O único que não representava um ano significativo era o Batmóvel – o carro do filme *Batman Returns*. Fora comprado em um leilão simplesmente porque o Sr. Cathy havia gostado da ideia de ter um pouco da história de Hollywood. Era mais um exemplo de atração *versus* compromisso. O Batmóvel era um brinquedo, enquanto os outros tinham verdadeiro significado para sua vida.

Os dois continuaram andando e entraram no refeitório da empresa.

— Está com fome? — Cathy perguntou, e apontou o bufê. Era o melhor que Greg já tinha visto, tinha de tudo, de pizza e massa a sanduíches e limonada. — Sirva-se — ofereceu o empresário.

— Vejo que aqui tem tudo que alguém pode querer — disse Greg. — Mas não vejo o caixa.

Erguendo a mão para proteger a boca, Truett Cathy sussurrou no ouvido do visitante:

— É a única coisa que não temos. — O sorriso de Cathy cresceu. — Minha empresa está mais voltada para as pessoas do que para os lucros. Mantemos os restaurantes fechados aos domingos, temos nossa própria abordagem inovadora para treinar os gerentes de loja e oferecemos bolsas de estudo para nossos funcionários. Acreditamos que, se apoiarmos nosso pessoal, eles farão o sucesso da empresa. E fizeram!

Greg escreveu:

*Concentre-se mais em seu pessoal do que nos lucros.*

Enquanto anotava a mensagem, Greg se lembrou do pedido de seu mentor.

— O Sr. Buckland me pediu para levar um sanduíche. Acho que vou experimentar um também, já que estou aqui. Eu amo as tiras que vocês fazem, mas nunca experimentei o sanduíche.

— Vamos resolver isso, então. — O Sr. Cathy foi para a cozinha. — São melhores quando estão quentes. — Ele pegou um pão fresco com manteiga e colocou suas famosas tiras de frango nele. — Tem que comer os picles. É o que o torna tão bom.

Truett entregou a obra-prima pronta ao visitante, que imediatamente a experimentou. Seu anfitrião estava certo: os picles eram a diferença do sanduíche.

Enquanto comiam, os dois homens retomaram a visita. Uma pergunta surgiu na cabeça de Greg, e ele a formulou imediatamente:

— Já esteve com o Coronel?

— Sim. Ele estava sentado no balcão comendo um sanduíche de frango. O homem da grelha perguntou: "Então, Coronel, não é o melhor frango que já comeu?". Astuto, o Coronel Sanders respondeu: "O segundo melhor!".

As risadas de Cathy e Greg formaram um coro bem-humorado.

Quando Greg saiu daquela incrível entrevista, pegou o celular e fez uma ligação.

— Nunca vai adivinhar com quem falei hoje — disse com entusiasmo. Estava ligando para David para ver como ele estava, esperando ouvir boas notícias. O silêncio disse tudo o que ele precisava saber... e o que ele temia. — Um dos empresários mais bem-sucedidos da América.

— Bom para você, mano.

A última vez que se viram pessoalmente fora quase seis meses antes. Encontraram-se em um dos bares favoritos de David. Não chegaram a jantar. Greg tinha ido embora depois de duas horas. Tinha tomado três *club sodas*, enquanto David bebia seis doses de uísque... ou foram sete?

Greg mentiu sobre seu sucesso nos negócios, insistiu em pagar a conta e levou o irmão para casa. Ao todo, a noite havia sido um desperdício. E ele tinha quase desistido de David naquele ponto. Todas as esperanças e sonhos – tudo o que compartilharam quando crianças, estudantes universitários e jovens adultos – viraram fumaça. Mas pelo menos Greg estava perseguindo seus sonhos, embora o negócio estivesse por um fio.

Ele disse:

— O que está acontecendo? Sério, cara. Não consigo mais falar com você.

David não disse nada. Greg ouviu o tilintar de gelo em um copo, provavelmente quando David o levou aos lábios. Era uma coisa pequena, uma coisa estúpida, mas o som daquele gelo despertou uma fúria em seu coração e na alma. Ele desligou.

Todos os pensamentos relacionados ao seu grande dia com Truett Cathy e o caminho de mudança de vida que Jon Buckland tinha traçado antes disso desapareceram. Sentia-se atormentado, desamparado e sem esperança.

No entanto, de repente, como se fosse uma centelha de inspiração divina, Greg percebeu que não era responsabilidade sua salvar David, apenas oferecer a ajuda que pudesse dar, a oportunidade. Cabia a seu irmão aceitá-la, ou não, assim como Greg tinha passado pela porta que Buckland abrira diante dele.

Nenhum homem obtém grande sucesso se não estiver disposto a fazer sacrifícios pessoais."

— NAPOLEON HILL

CAPÍTULO NOVE

# Movido pelo objetivo

Quando Greg voltou de viagem, foi direto para o trabalho – não para o habitual local de trabalho, mas para trabalhar em si mesmo. Percebera que o que Don Green havia compartilhado com ele era verdade. Napoleon Hill disse que há muito mais ouro extraído da mente de grandes pessoas do que pode ser tirado do solo. Greg agora se tornara um garimpeiro de si mesmo e queria mais ouro. Sabia que o próprio bem-estar financeiro poderia estar em risco, mas a decisão estava tomada.

Ele agiria continuando a entrevistar mais líderes empresariais e descobrindo mais pepitas brilhantes de sabedoria. Precisaria procurar a associação da Fundação Napoleon Hill para ajudá-lo a ter acesso a essas personalidades notáveis.

"Ei, espere um minuto", Greg disse a si mesmo. A memória voltou à primeira nota que Buckland havia dado a ele, em que perguntava o que faria com as coisas que aprendesse.

*Muitos recebem bons conselhos, mas poucos lucram com eles. Você lucraria?*

Instantaneamente, entendeu que havia sido manobrado desde o início naquele novo caminho para o sucesso.

Desde o instante em que Greg pegara o paletó errado, sua vida tinha sido quase completamente transformada. Com esse novo momento "arrá!", parecia haver um destino mais satisfatório esperando por ele. Não ia parar a três passos do ouro. Em vez disso, ia transferir sua operação de perfuração para descobrir um novo veio de ouro para ele.

Para ele... isso era bom o bastante? E quanto às outras pessoas em sua vida, família, amigos, a mulher que amava, os necessitados? Ele percebeu que deveria dar o exemplo e aplicar o que aprendia.

Uma das mensagens sutis que absorvia era que as pessoas bem-sucedidas raramente eram egoístas. Isso poderia ser uma regra?

Tomou outra decisão. Reconhecendo que atenção e paixões estavam se distanciando de sua empresa de marketing e que queria focar em sua nova visão, decidiu oferecer o negócio a seus funcionários.

Quando falou com eles naquele dia, eles aproveitaram a chance de sociedade, mas também ficaram bastante surpresos com o "novo Greg". Ao oferecer o negócio aos funcionários, ele os estava orientando e ajudando a seguir em direção à própria paixão e seus objetivos. Ele tinha começado a retribuir... exatamente como havia prometido a Jon Buckland e Don Green. *Passe adiante!*

Em uma semana, os papéis foram assinados e a transferência do negócio foi concluída. Ele agendou outra reunião com Don Green na Virgínia.

Na noite anterior à sua partida para a reunião, deu outro telefonema para David Engel. Dessa vez, sua mensagem foi diferente, assim como as expectativas. O recado que deixou na caixa postal foi breve, direto e sincero:

— Dave, eu preciso te dizer isso. Te amo e quero o melhor para você. Quero te ajudar, mas não sei como. Mia e eu estamos conversando novamente, e ela sugeriu que você tentasse outra reabilitação ou algum tipo de programa. Se e quando decidir que quer melhorar, conte comigo, e estou disposto a ajudar a pagar por isso. Pense nisso. Me ligue.

Não sabia como David reagiria à oferta, mas sabia que se sentia melhor, como se o peso do mundo fosse retirado de cima de seus ombros. Agora cabia ao irmão tomar as medidas necessárias, como Greg estava fazendo por si mesmo.

Na manhã seguinte, quando se sentou diante do CEO da Fundação Napoleon Hill, Greg sentiu que as mãos tremiam. O nervosismo era causado não pelo medo, mas pela esperança no encontro e em seu resultado. Como Cathy havia sugerido, Greg não planejara, simplesmente tinha caminhado em direção ao objetivo de obter o apoio da organização Hill.

Ele defendeu sua causa como um zeloso defensor público e foi rápido em apresentar o bloco de notas com suas muitas anotações. Recorrendo a cada provérbio, descreveu os encontros com pessoas incríveis que tinha conhecido até então e suas palavras de sabedoria.

O silêncio depois da apresentação parecia durar horas, mas foram só alguns segundos antes de Green responder.

— Todos os dias recebo pedidos como os seus. Todos os dias alguém quer fazer um projeto com a Fundação Napoleon Hill e escrever o próximo capítulo da filosofia *Quem pensa enriquece*.

O coração do rapaz ficou apertado.

Green continuou:

— Quase toda vez que alguém faz esse pedido, tenho que acionar o departamento jurídico para o memorando padrão: "Obrigado pelo interesse, mas não podemos aceitar sua proposta no momento". A verdade é que nosso tempo não é ilimitado. Só podemos aprovar e apoiar com eficácia alguns projetos selecionados.

Greg experimentou o conhecido sentimento de rejeição se instalando à sua volta.

Então, Green sorriu.

— Dito isso, gosto da sua coragem. Mais ainda, você foi altamente recomendado por nosso amigo em comum, Bucky. Mas sabe qual é a palavra final para mim?

Greg continuou ali sentado sem mover um músculo.

— Você voltou aqui, ao meu escritório, para me perguntar pessoalmente. Você apareceu. Eu gosto disso. — Don Green juntou as mãos diante da boca e continuou. — Vou dizer uma coisa, eu não prometo nada neste momento, mas vou fazer uma coisa por você agora.

Greg prendeu a respiração.

— Em 1908, Napoleon Hill foi convidado para ir à mansão de Andrew Carnegie em Manhattan. Você pode imaginar a emoção de alguém que tinha origens tão humildes e era recebido em uma mansão de 64 cômodos? O que Hill tirou daquele dia foi mais do que a lembrança de encontrar um homem tão importante; ele também saiu com uma carta de recomendação assinada pelo próprio Carnegie, que abriria muitas portas para ele, portas que Hill jamais teria conseguido abrir sozinho. Considerando o que você deseja fazer, escreverei uma carta semelhante da Fundação. Isso permitirá que as pessoas saibam que apoiamos sua visão, e tenho certeza de que abrirá portas para você também. O que você vai fazer com a carta e com essas oportunidades só depende de você.

Enquanto pensava sobre isso, Greg percebeu que seguia os passos de um grande homem, Napoleon Hill, exatamente cem anos depois. Que oportunidade incrível... e que responsabilidade!

— Vamos ver o que você traz de volta. Mesmo que eu não possa garantir nada agora, espero que entenda que confio em você.

O estudante ansioso prometeu:

— Don, você não vai se arrepender.

Green sorriu ao ver o entusiasmo do jovem.

— Mantenha contato. Eu gostaria de saber sobre seu progresso nesta jornada.

Quando os dois selaram esse acordo com um aperto de mão, Green teve uma inspiração. Ele chamou a secretária:

— Annedia, pode vir aqui um segundo?

Uma mulher apareceu na porta e, com um belo e profundo sotaque sulista, perguntou:

— O que posso fazer por vocês, rapazes?

— Sabe aquele evento de caridade ao qual eu deveria comparecer no mês que vem?

— Claro que sim — respondeu ela. — Mas você não pode ir. Marcamos uma apresentação na Flórida no mesmo dia.

— Sim, eu lembro. Então, pode me fazer um favor e dar ao Greg aqui o meu ingresso para o Jantar dos Campeões, de forma que ele possa comparecer em meu nome e representar a Fundação?

As semanas seguintes passaram tão depressa que Greg mal teve tempo de se dedicar às coisas básicas da vida. Em vez disso, toda a sua atenção e atividade foram direcionadas a telefonar, enviar e-mails e pesquisar ícones dos negócios contemporâneos. Mesmo que sua conta bancária diminuísse diariamente, ele continuou trabalhando.

Na época em que publicou seu clássico original, Napoleon Hill entrevistou os principais líderes empresariais de seu tempo. Embora os princípios que ele descobriu sejam atemporais, o cenário de negócios tinha mudado. No entanto, uma coisa permanecia forte como sempre: o poder de um endosso de terceiros.

O que Greg descobriu foi que, de alguma forma, quase todos os líderes empresariais com quem ele fez contato atribuem seu sucesso à leitura de *Quem pensa enriquece*. Eles construíram seu sucesso com base nos princípios que Hill havia compartilhado ao estudar os líderes empresariais mais bem-sucedidos do início do século 20. Agora Greg tinha a oportunidade de registrar as histórias de alguns dos mais bem-sucedidos líderes empresariais do início do século 21. Seu trabalho poderia ter o mesmo impacto na próxima geração?

O momento do projeto não poderia ser melhor: a economia estava à beira do desastre e começaria a cair antes que Greg, ou qualquer outra pessoa, percebesse.

*Fundação Napoleon Hill*
*Uma instituição educacional sem fins lucrativos dedicada a tornar o mundo um lugar melhor para se viver*
*Don M. Green, Diretor Executivo*

*5 de dezembro de 2007*

*Sr. Greg S. Reid*
*San Diego, CA 92121*

*Caro Sr. Reid:*

*Com esta carta, temos o prazer de confirmar nosso acordo exclusivo para seguir em frente com esse empolgante e importante projeto.*

**A três passos do ouro**
*por Gred S. Reid*

*Baseado nos ensinamentos da obra clássica do falecido Sr. Hill Quem pensa enriquece.*

*A fundação Napoleon Hill tem anos de experiência educando e inspirando literalmente milhões de indivíduos pelo mundo todo, e com esta colaboração esperamos que esse movimento progrida exponencialmente.*

*Agradecemos por sua dedicação para o melhoramento da humanidade e lhe damos as boas-vindas à Família Hill.*

*Saudações,*

*Don M. Green*
*Diretor Executivo*

*Fone (276) 328-6700. Fax (276) 328-8752*
*Cx. P. 1277 – Wise, Virgínia 24293*
*E-mail: napoleonhill@uvawise.edu*
*Localizada na Universidade de Virgínia – Campus Wise*

Ele decidiu que usaria a carta de recomendação da mesma forma que Hill usara a de Carnegie um século antes. Escreveu um objetivo em seu bloco de notas para agendar sete reuniões com luminares importantes.

Quando começou a marcar seus compromissos, rapidamente descobriu algo em que a maioria das pessoas não acreditaria: os indivíduos mais bem-sucedidos pareciam ser os mais disponíveis. Em quase todos os casos, os expoentes em suas áreas ficaram felizes por poder transmitir conhecimento a um aluno interessado.

Ele resumiu em seu bloco de notas:

*As pessoas mais bem-sucedidas são as mais acessíveis.*
*As pessoas mais bem-sucedidas querem*
*ensinar aos outros como ter sucesso.*

Parecia que as pessoas no meio do caminho, as que lutavam para encontrar sua voz e criar a própria identidade em uma atmosfera hipercompetitiva, eram as que não tinham tempo para ajudar ninguém. Eram controladas pelo ego, pela riqueza e por títulos extravagantes. Ainda não tinham descoberto quem eram.

Essas são as pessoas que mais poderiam usar a Equação de Sucesso.

Mas as que ele conheceu por meio do Sr. Buckland eram muito diferentes daquelas com quem costumava se associar. Eram incrivelmente bem-sucedidas e generosas com seu tempo, e realmente desejavam ajudar os outros. Eram confiantes, mas não a ponto de serem arrogantes. Tinham o coração ainda maior que o *status*.

A caminho da mesa designada no Jantar dos Campeões, Greg mal conseguia controlar a empolgação. Sentado bem ao lado dele estava um de seus maiores ídolos do esporte de todos os tempos. Era o homem que havia esmagado muitos outros de propósito, e ainda assim, pessoalmente, era um verdadeiro gigante gentil: o inigualável Evander Holyfield, o único boxeador a vencer o campeonato dos pesos-pesados quatro vezes.

O corpo esguio de Greg parecia ainda menor quando ele se sentou ao lado daquele homem de físico impressionante. Se fisicamente Holyfield dominava a sala, sua mera presença e o espírito gentil faziam as pessoas se virarem e sorrirem.

Sem esperar por uma apresentação formal, Greg, à sua maneira sempre determinada, disse:

— Ok, Evander, preciso saber: o que o torna um atleta melhor do que seus adversários?

Holyfield poderia ter ignorado o desconhecido curioso, mas, em vez disso, ofereceu uma resposta imediata:

— Um padrão mais elevado do que o de qualquer outra pessoa.

— Por favor, explique — disse Greg, ouvindo atentamente.

— É muito simples. Se você tem um carro e não tolera que fique sujo ou funcionando mal, você vai ter um carro melhor que o do seu vizinho. Se uma esposa não aceita o marido voltando para casa bêbado ou os filhos bagunçados, ela tem uma dinâmica familiar melhor. Certo?

Greg puxou seu bloco de notas e a caneta, pronto para escrever.

— Isso também se aplica ao esporte. Sempre treinei cedo, fiquei até tarde e nunca perdi de vista meu sonho. Tanto que chegávamos a pensar em novas formas de exercício que ninguém mais havia pensado. Fizemos isso porque tínhamos um padrão mais alto do que qualquer outra pessoa no ringue. "Um padrão de excelência", como o chamávamos. E esse padrão é o que acredito que me permitiu ganhar uma medalha olímpica e os cinturões.

No bloco, Greg escreveu:

*Defina os mais altos padrões.*

Depois perguntou:

— Mas não doía ser golpeado o tempo todo?

Holyfield olhou para o alto e piscou.

— Olhe este rosto! — E acrescentou: — Eu não apanhei tanto. É assim: se você foca nos golpes que está levando, o único lugar que vai acabar é no chão. Nunca dei muita atenção aos danos que sofria. Só me concentrava no dano que estava causando.

Greg arregalou os olhos quando perguntou:

— Está dizendo que nunca sentiu os socos?

— Claro que senti — disse Holyfield. — Mas nunca perdi o foco no trabalho que estava fazendo. E o objetivo era atingir meu oponente de volta... mas com mais força. Isso vale para a vida de maneira geral. Muitas pessoas se concentram nas pancadas que levam. Assistem aos jornais que contam como as coisas estão ruins; ouvem os amigos que estão infelizes com a vida. Em outras palavras, eles se concentram em quantos socos estão levando, quando, na verdade, deveriam mudar o foco, revidar e ficar na ponta dos pés.

Quando o grande peso-pesado começou a comer, Greg escreveu:

*Fique alerta. Concentre-se no trabalho em andamento.*

Isso era incrível. Ele não esperava tanta sabedoria de um atleta. Mas então lembrou: Holyfield era muito mais que um boxeador – ele era um lutador. E essa era a diferença. Ele era definido não por sua carreira, mas por suas realizações.

Holyfield fez uma pausa e apontou o garfo para Greg.

— Sabe o que é engraçado? Quando o gongo anuncia o fim, eles levantam seu braço e a multidão vai à loucura, seja em uma luta de boxe, seja em qualquer sucesso na vida, você nunca sente ou se lembra dos golpes. Você só sente a vitória.

Greg adicionou esse comentário ao bloco de notas:

*Você nunca sente ou se lembra dos golpes.*
*Você só sente a vitória.*

Enquanto escutava aquele campeão incrível, Greg percebeu que estava ouvindo o mesmo conselho que tinha recebido de Truett Cathy, mas de uma perspectiva diferente. Havia eletricidade na sala, e Greg se sentia parte dela, totalmente eletrizado.

Holyfield acrescentou esta observação final.

— Quer saber mais uma coisa? O outro cara, o perdedor? Ele vai sentir cada hematoma que sofreu ao longo do caminho, e durante anos só vai conseguir contar histórias de como *quase* conseguiu ganhar. — Olhando bem dentro dos olhos de Greg, Holyfield concluiu o pensamento com um nocaute: — Não sei você, mas tudo que eu quero é ser campeão!

Foi um momento clássico para aplaudir em pé. Greg nunca se sentira tão mexido por dentro.

“

O homem que sabe de verdade e exatamente o que quer da vida já percorreu um longo caminho para consegui-lo.

— NAPOLEON HILL

## CAPÍTULO DEZ

# MasterMinds

Embora lá fora não fosse o dia ensolarado comum na Califórnia, o sorriso de Buckland iluminou o interior do táxi quando ele sentou no banco de trás ao lado de Greg.

— Soube que tem estado muito ocupado — disse.

— Tem sido incrível — Greg exclamou. — Não consigo acreditar que posso viver disso, viajar pelo país conhecendo as melhores pessoas e compartilhando suas ideias... Quero dizer, como profissão. Não estou ganhando muito agora. Na verdade, nem estou sendo pago para isso, estou muito apertado financeiramente, mas tenho aprendido tanto que vale a pena. Se este livro sair como espero e se eu encontrar a editora certa, pode ser um *best-seller*.

Buckland disse:

— Um privilégio, de fato. Poucas pessoas tiveram a oportunidade de seguir suas paixões e sonhos... Ou melhor, não é bem assim. Todo mundo tem a oportunidade, mas, como escrevi em uma nota, nem todos fazem alguma coisa com ela. A propósito, falei com Don Green outro dia, e ele está satisfeito com seu progresso. Disse que apresentou você a um amigo nosso, Dave Liniger.

— Sim, foi uma das minhas entrevistas favoritas até agora. Se é para falar de não desistir a três passos do ouro... aquele cara é casca--grossa.

— O que ele falou?

Greg tirou o bloco de notas do bolso. Buckland percebeu que ele estava ficando bem desgastado. A capa havia perdido o brilho, e as bordas estavam amassadas. As próprias páginas estavam marcadas pelo uso. Buckland anotou quantas páginas Greg virou antes de chegar à que procurava.

— Aqui está — Greg anunciou ao encontrar a anotação que queria:

*As pessoas desistem cedo demais.*

— Dave me contou como foi difícil quando ele começou seu negócio, no início dos anos de 1970. — De repente ele parou: — Ei, espere um pouco, para onde vamos?

— Não se preocupe — Buckland disse misteriosamente. — Você vai saber quando chegarmos lá. Agora, continue me contando o que Dave disse.

— Então, a RE/MAX é a franquia imobiliária que cresce mais depressa no mundo hoje, mesmo nesse mercado difícil. Mais surpreendente é o fato de Liniger não ter desistido nos primeiros anos, quando os tempos não poderiam ter sido piores. Ele disse que a empresa tinha uma dívida de US$ 600 mil. Ele cometeu o erro de começar na recessão de 1973, quando o mercado imobiliário entrou em colapso e os financiadores se retiraram. E confessou que tudo que a empresa podia fazer de errado, ela fez. A maioria das pessoas teria simplesmente desistido e mudado para outra coisa. Mas havia um pequeno grupo confiante, e eles decidiram resistir. E apesar de tudo, juraram: "Podemos insistir mais um dia. Não vamos desistir".

Buckland comentou:

— Ele me disse que esse grupo manteve o "mais um dia" por tempo suficiente, até que finalmente foram recompensados.

— Sim, nos primeiros dois anos, era como se todas as ligações que recebiam fossem de um cobrador. As coisas pioraram no terceiro ano. Na verdade, ele contou rindo que o endereço do remetente na maior parte de sua correspondência tinha sempre três nomes; eram de escritórios de advocacia que ameaçavam processá-lo. Quando a competição começou a dizer coisas negativas e dolorosas sobre ele e seu sonho, Liniger chegou ao fundo do poço. Quem não teria caído? Não só os credores o estavam perseguindo, como também colegas e líderes de sua área não tinham nada de positivo para falar sobre ele. Quero dizer, dá para imaginar como é ter que ouvir todos os dias que você é um fracasso? Depois de um tempo, você começa a acreditar.

— Mas ele não acreditou, não é? — perguntou Buckland, já sabendo exatamente como a história terminava.

— Não. Ele disse que cerca de quarenta funcionários viram o panorama geral. Eles foram contra a opinião geral e decidiram ficar com Dave Liniger, sua esposa e sua visão. Esse apoio deu a ele a confiança para ligar proativamente a cada um de seus credores e dizer: "Eu sei que devo US$ 50 mil a você, mas só posso pagar US$ 50. E vou ligar para você todas as semanas antes de você me ligar, para informar quanto vou poder pagar". Você pode imaginar as respostas. Liniger disse aos credores que entendia que era função deles continuar ligando, mas que precisavam saber que ele não iria desistir e não iria pedir falência e deixá-los sem nada. Repetir essa atitude lembrava Liniger do compromisso que tinha com seu conselheiro mais importante, ele mesmo.

Buckland sorriu com orgulho ao ouvir seu aluno contar a história.

— Então o milagre aconteceu. As pessoas começaram a comprar franquias. A partir dessas compras, as coisas mudaram para a empresa.

Liniger e sua equipe trabalhavam o máximo que podiam todos os dias. Foi daí que ele tirou o nome RE/MAX.

— Sim — concordou Buckland. — Dave é realmente um homem de grande caráter.

— Aqui está a melhor parte. — Greg leu em voz alta em seu bloco de notas:

*Prove que está certo!*

Uma pergunta veio do banco da frente:

— O que isso significa?

Greg se inclinou para responder ao taxista. Agora estava acostumado com as pessoas ouvindo suas conversas.

— Bem, é mais ou menos assim: depois de tantas pessoas dizerem que ele era um fracasso, Dave Liniger sabia quem realmente era. No início, ele queria ter sucesso só para provar que todos estavam errados. Em seguida, dirigiu a atenção para um desafio melhor, que realmente importava.

O taxista parou em um semáforo e se virou para olhar para o banco de trás do carro, incentivando Greg a continuar.

— Liniger decidiu que mudaria seu foco para provar que estava certo, que ele não era o rótulo que as pessoas estavam colocando nele. No fundo, sabia que o que estava fazendo era verdadeiro e nobre. Os tempos difíceis foram simplesmente as dores do crescimento pelas quais todo grande empreendimento passa. Ele disse a si mesmo várias vezes que era uma boa pessoa e que estava fazendo algo especial e certo, criando empregos e oportunidades de negócios.

— Hum — o motorista disse ao olhar para a frente. O passageiro havia dado muita informação para digerir nas horas seguintes de trabalho. De vez em quando, o taxista recebia uma gorjeta que valia mais do que o dinheiro que os ricos tinham em suas carteiras.

— Você sabe transmitir uma mensagem — disse o mentor de Greg.

— Chegamos — anunciou o motorista quando eles pararam em uma churrascaria tradicional que Greg não visitava havia décadas.

Quando foram conduzidos além das cortinas de veludo vermelho, ele sentiu o aroma dos filés na grelha.

— Quero que conheça algumas pessoas — disse Buckland ao parar diante de uma porta —, mas não pode ficar. Este é o meu grupo de MasterMind. Nos reunimos uma vez por mês para fazer *networking* e trocar ideias. Por favor, não se ofenda, mas você pode se juntar a nós só por um momento. Não posso convidá-lo para ficar, seria inapropriado, dada a natureza do nosso encontro.

— Não tem problema — Greg respondeu.

Ao entrarem na sala, Greg olhou as paredes revestidas de madeira e viu retratos de lendas do passado. Imediatamente, reconheceu os cinco rostos dos heróis de outrora das páginas do livro que tinha passado a apreciar e admirar, *Quem pensa enriquece*: William Wrigley Jr., George Eastman, Theodore Roosevelt, F.W. Woolworth e Charles M. Schwab.

No centro da sala, em torno de uma mesa de reuniões de carvalho e aço, estavam quatro dos ícones atuais de sucesso cujos nomes não eram tão imediatamente reconhecíveis como os do grupo original de Hill... ainda: James Amos, John Schwarz, Tom Haggai e Mike Helton.

Para Greg, Buckland disse:

— Observe que há quatro pessoas aqui, além de mim. Isso é significativo, porque acreditamos que você é um reflexo direto das cinco pessoas com quem mais se associa, e sua renda, sua atitude e seu estilo de vida são a média dessas cinco pessoas. Se você se cercar de líderes, vai acabar se tornando um também. Infelizmente, também funciona da maneira oposta.

Para o grupo, Buckland anunciou:

— Senhores, este é o homem de quem falei. Como sabem, Greg está escrevendo um livro com a ajuda da Fundação Napoleon Hill. Ele não vai ficar para a nossa reunião, mas eu agradeceria se cada um de vocês desse a ele uma informação ou inspiração que possa usar em seu projeto. — Buckland colocou a mão no ombro do homem mais próximo a ele. — Greg, este é James Amos, empresário e filantropo.

Amos era ex-presidente e CEO da Mail Boxes, Etc., a maior franquia de comunicação de negócios varejistas e centros de serviços postais do mundo, e a que cresceu mais depressa. A rede MBE compreendia cerca de 4.500 pontos em todo o mundo, com contratos de licenciamento em mais de oitenta países. Em 2001, foi vendida e renomeada como UPS Stores. Além disso, Amos foi ex-presidente da International Franchise Association e atualmente é presidente e CEO da Tasti D-Lite Corporation.

— Em outras palavras — disse Buckland depois de apresentar uma breve biografia —, ele sabe do que está falando.

Amos riu e disse:

— Eu realmente fiz tudo isso? Bem-vindo ao nosso pequeno grupo, Greg. Sabemos de sua missão, e sabemos que você está buscando alguns fragmentos de nossas experiências que possam ajudá-lo em seu projeto. Para começar, por favor, entenda o seguinte: qualquer novo empreendimento exige paciência. Muitas vezes leva três, quatro, às vezes cinco anos para descobrir se você é um herói ou um idiota. Mas, vendo pelo lado bom, sempre vai ter alguém para dizer se você é um ou outro.

Todos na sala começaram a rir.

Amos continuou:

— Falando sério, saiba que a diferença entre o sucesso e o fracasso é uma linha muito tênue. Ninguém sabe disso mais do que nós. Então, quando você tiver uma pequena porcentagem de vitória, a melhor coisa que posso recomendar é que seja grato e mostre gratidão. Isso mantém as coisas na perspectiva correta e pode ser o combustível que faz sua paixão permanecer em movimento.

— Entendi — disse Greg. — Truett Cathy me disse uma vez para não planejar muito, mas para ter certeza de agir e avançar em direção aos meus objetivos. Qual foi o papel da pesquisa e do planejamento no sucesso do seu empreendimento?

— A verdade é a seguinte: toda diligência é histórica; tem a ver com o passado. Mas toda tomada de decisão tem a ver com o futuro. A visão vem das pessoas que podem ter esse pequeno grau de consciência, tomar uma decisão e ser proféticas sobre ela.

Intrigado com a resposta, Greg percebeu que não havia escrito nada em seu bloco de notas desde que entrara na sala. Ele o pegou e rabiscou:

*A margem entre o sucesso e o fracasso*
*é uma linha muito tênue.*
*A história é o passado.*
*Baseie as decisões no futuro.*

Na cadeira ao lado de Amos estava um homem de cabelo ralo e sobrancelhas grossas. Buckland pigarreou e o apresentou.

— Este é John Schwarz. Ele é o mais esperto do grupo. É um cientista famoso. Talvez você tenha lido sobre seu trabalho em algumas revistas ou visto alguma coisa no Discovery Channel.

Greg realmente se lembrava de ter visto um programa de TV sobre o trabalho de Schwarz. Elaborando a teoria de Einstein, Schwarz e seu parceiro, Dr. Michael Green, propuseram a reinterpretação da teoria das cordas como uma candidata a uma teoria unificada da gravidade e outras forças fundamentais... e a chamaram de Teoria das Supercordas.

Os cientistas pensavam originalmente que o átomo era a menor estrutura molecular, até que o dividiram e criaram a fissão nuclear. Então eles perceberam que havia coisas ainda menores chamadas *quarks*. Schwarz e seu parceiro teorizaram que esses *quarks* eram mantidos juntos por minúsculas cordas. Essas cordas vibram em frequências diferentes, como cordas de violão, criando o que conhecemos como energia.

Por mais de uma década, Schwarz e Green descobriram novas inovações que acreditavam que convenceriam outros físicos da verdade de suas descobertas. Mas a comunidade científica considerou sua teoria "absurda" até 1984, quando descobriram como certas inconsistências aparentes, chamadas de anomalias, não podiam ser evitadas. De repente, o assunto se tornou muito aceitável e uma das áreas de pesquisa mais ativas da física teórica.

— John, você pode dar um conselho a este jovem? — Buckland pediu.

— Sim. Continuando na mesma linha de Jim, a distância entre o sucesso e o fracasso é realmente muito pequena. No meu caso, houve um período de dez anos em que todos estavam contra mim e pensaram que eu era maluco. Quando o Dr. Green e eu fizemos nossa descoberta, as pessoas começaram a prestar atenção. Até aquele ponto, quase todo mundo pensava que éramos loucos, e, então, para nossa surpresa, quase que da noite para o dia, as pessoas nos viam como inteligentes.

— Então você demorou só uma década para se tornar um sucesso da noite para o dia? — Greg interrompeu. — Alguém com quem falei disse algo parecido. O que o fez continuar?

— Isso é simples. — Schwarz parou para beber um gole de café, depois olhou para o visitante e disse com voz casual: — Eu sabia que estava certo.

Lá estava... outro exemplo de "sucesso da noite para o dia" depois de anos de trabalho e esforço, assim como Richard Cohn havia mencionado, e de ter esse "saber", exatamente como o maestro Jahja Ling.

Greg sabia que estava no caminho certo. Como é que indivíduos com origens tão diferentes compartilham as mesmas histórias? Seria possível que cada uma dessas pessoas seguisse o mesmo projeto básico para o sucesso? Schwarz poderia estar certo, e tudo realmente era conectado de alguma forma por essas cordas universais?

Buckland olhou para a cabeceira da mesa e acenou para um de seus amigos mais próximos.

— Este é o Dr. Tom Haggai. Ele é o cara mais bem-vestido do grupo, um líder empresarial, autor, palestrante e humanitário de renome mundial. É presidente e CEO da IGA, a maior rede de supermercados em sistema de cooperativa do mundo, com vendas globais agregadas no varejo de mais de US$ 21 bilhões por ano. Até eu estou ansioso para ouvir o que ele vai dizer.

Com os braços cruzados e apoiados na mesa à sua frente, Haggai olhou diretamente nos olhos de Greg como se não houvesse mais ninguém na sala.

— Filho, está preparado para o NÃO?

— Como?

— Entenda: seu grau de sucesso em qualquer coisa que escolher é proporcional a quantos "nãos" consegue aguentar, enquanto, é claro, permanece empolgado ao longo do processo. O número de "nãos" que está disposto a superar para chegar ao resultado desejado vai determinar seu sucesso ou fracasso.

Os outros na sala concordaram.

– O "não" é a segunda melhor resposta que você pode receber; pelo menos, serve para você saber onde está. São aqueles "talvez" insuportáveis que atrapalham. Uma vez ouvi alguém dizer: "Se você está disposto a convidar muitas moças para sair, vai acabar conseguindo uma companhia para ir ao baile". Isso vale para quase tudo que se quer na vida; a chave é focar mais no resultado e menos nos desvios.

Os outros pensaram no comentário, sorrindo ao lembrar dos próprios empreendimentos, tanto dos sucessos quanto dos fracassos. Ele continuou:

— O ponto é que, quanto mais rejeição você pode suportar, mais forte e mais capaz será quando o SIM finalmente chegar.

Greg escrevia mais depressa que um estenógrafo antiquado.

*Sucesso é a recompensa pelos obstáculos.*

Jim Amos comentou:

– Tom, de vez em quando você fala coisas muito boas. Essa eu vou ter que pegar emprestada, em algum momento.

Haggai sorriu e continuou:

— Acho que todos vamos concordar que o fato aqui é que muitas pessoas e muitos negócios fazem suas maiores conquistas nos tempos mais difíceis. Podem não ganhar muito dinheiro, mas é então que fazem as correções necessárias; cortam custos, tornam-se introspectivos e constroem a base para seguir adiante.

— Concordo — respondeu Schwarz.

Haggai concluiu o pensamento com uma mensagem final.

— O segredo é parar de andar por aí com gente que está pensando em desistir. Se você sente que está propenso a desistir, cerque-se de pessoas que simplesmente não desistem! Energia se alimenta de energia, então, conviva com as pessoas certas e tenha fé.

Havia um homem ao lado de Tom cuja postura o fazia parecer maior que a vida. Com 1,95 metro de altura, ele era um gigante que fez Greg lembrar-se do herói do cinema de faroeste John Wayne.

— Tenho algo a dizer. Meu nome é Mike Helton. Sou presidente de uma pequena companhia que talvez você conheça, a NASCAR.

Greg continuou com a brincadeira.

— É, acho que já ouvi falar dela.

Greg era fã de corridas e conhecia a história de Helton. Quando era criança em Bristol, Virgínia, Helton adorava ir à pista de corridas da cidade com o pai e assistir às provas. Ele estudou Contabilidade na King College, Tennessee, e trabalhou em uma emissora de rádio local enquanto cursava a faculdade. No programa de entrevistas que Helton apresentava nas manhãs de sábado, seu assunto favorito era esse, corridas de automóveis.

Realizando o sonho de trabalhar na área, Helton mais tarde tornou-se diretor de relações públicas da Atlanta Motor Speedway e continuou progredindo, passando por Daytona e Talladega. Em 1999 foi nomeado vice-presidente sênior e diretor de operações da NASCAR. Depois, no ano 2000, Helton tornou-se a primeira pessoa alheia à família fundadora a ocupar o cargo de presidente da NASCAR.

Helton disse:

— Vi que você tem um bloco de anotações e sempre escreve nele. E preciso contar uma coisa, eu faço a mesma coisa. Mas também carrego algo que é muito importante para mim. — Ele levou a mão ao bolso do lado esquerdo do peito e pegou um documento velho e gasto que parecia estar com ele havia anos. — Levo isso a todos os lugares. É uma lembrança constante do que estou fazendo e por que estou fazendo. É uma lista dos princípios que orientam minha vida. — Ele leu em voz alta: — Foi extraído de um livro chamado *Cowboy Ethics: What Wall Street Can Learn from the Code of the West*, de James Owen.

*Viva cada dia com coragem.*
*Orgulhe-se de seu trabalho.*
*Sempre termine o que começa.*
*Faça o que tem que ser feito.*
*Seja duro, seja justo.*
*Quando fizer uma promessa, cumpra-a.*
*Seja leal.*
*Fale menos, diga mais.*
*Lembre que algumas coisas não estão à venda.*
*Saiba onde traçar a linha do limite.*

Buckland disse:

— Isso é bom, Mike. Depois de tantos anos, nunca imaginei que fosse esse tipo de homem.

— Ei, sou um caubói. — Helton imitou a pose de John Wayne. Todos em volta da mesa riram de novo.

Greg pediu uma cópia. Helton prometeu mandar por e-mail quando voltasse a Daytona e terminou a mensagem com mais uma sugestão:

— Além disso, entenda que você não precisa de uma parede cheia de placas e diplomas para ter sucesso neste mundo. O necessário é observar e seguir as atitudes que as pessoas bem-sucedidas tomam.

— Ok, Greg, não temos mais tempo — Buckland avisou.

O estudante interessado agradeceu àqueles homens pelo tempo que dispuseram e compartilhou uma descoberta que tinha feito.

— Querem saber uma coisa engraçada? — perguntou, levantando o bloquinho. — Há algumas semanas registrei aqui o objetivo de falar com sete pessoas influentes antes do fim do mês. Na última semana, falei com um ícone do esporte e um magnata das transações imobiliárias, e agora conheci vocês quatro. Só falta um. Eu não sabia como essas entrevistas aconteceriam, mas aprendi que não precisamos saber exatamente como; só precisamos de um porquê suficientemente forte.

— Nesse caso, tenho ótimas notícias — disse Buckland, passando um braço sobre os ombros do visitante. — Antes de você chegar, nós nos reunimos e marcamos uma reunião entre você e a pessoa mais importante que jamais vai ver em sua vida. Já está marcada, então, essa pessoa é a sétima!

Buckland deu os parabéns a Greg e entregou a ele uma passagem aérea de ida e volta para Fiji.

— Queremos um relatório completo quando voltar.

Uau! Greg estava surpreso. Quem poderia ser tão importante e ainda morar em Fiji?

Ele saiu do restaurante sentindo-se três metros mais alto. Sabia que tinha acabado de viver uma experiência única, algo que poucas pessoas jamais viveriam.

Vaidade é uma névoa
que envolve a verdadeira
personalidade de um homem
e a torna irreconhecível.
Enfraquece sua capacidade
inata e fortalece todas as
suas inconsistências."

— NAPOLEON HILL

CAPÍTULO ONZE

# Fiji e além

Ele pisou na pista. O ar era mais denso do que imaginava que seria. A pista era ladeada de palmeiras. Estava realmente no paraíso, ele pensou, enquanto o motorista o levava pelas ruas de um povoado local.

Tendo crescido em uma cidade litorânea, Greg imaginava que nada poderia ser melhor do que o que tinha em casa. Até descobrir Fiji.

— Bem-vindo à nossa ilha — disse o recepcionista do hotel enquanto Greg fazia o *check-in* no que seria sua nova casa nos dias seguintes.

Seu quarto era muito elegante, e a vista panorâmica do oceano era de tirar o fôlego.

Havia algo de espiritual na paisagem, que ele sentiu ao percorrer a propriedade. As pessoas eram simpáticas, as flores desabrochavam, e uma sensação de grande relaxamento começava a superar a curiosidade.

O mais recente turista da ilha não tinha ideia de quem encontraria ali ou por que Buckland e seus amigos escolheram aquele lugar... mas estava muito feliz com a escolha. Lendo seu itinerário, viu que os planos para o jantar haviam sido feitos para as sete horas, então, tinha uma hora ou mais para aproveitar o pôr do sol antes de entrar.

Ao pegar uma cadeira sob o toldo de uma cabana próxima, notou um cavalheiro escrevendo febrilmente em um bloco de notas.

— Com licença — Greg interrompeu. — Vejo que está muito compenetrado nisso. Posso perguntar no que está trabalhando?

— Claro — respondeu o estranho. — Meu nome é John. — Os dois apertaram as mãos.

— O meu é Greg. É um prazer. Desculpe interrompê-lo, mas recentemente comecei a registrar meus pensamentos e fiquei intrigado ao ver você fazendo isso também.

— Não tem problema. Tenho só uma hora, mais ou menos, antes de sair — John explicou. — Vou dar uma palestra aqui no *resort* e estou trabalhando em minhas considerações finais.

— Sobre o que vai falar?

— Sucesso por meio do fracasso.

— Está brincando — Greg disse rindo. — Fracasso parece ser o meu nome do meio. Ou era, até recentemente.

— O meu é esperança — respondeu John com um sorriso.

— Sério?

— Sim, John Hope Bryant, e Hope significa esperança. Na verdade, dirijo uma organização sem fins lucrativos chamada Operation Hope. Ela ajuda pessoas no mundo todo a criar uma vida melhor para si.

Mais tarde, Greg fez uma pesquisa no Google sobre seu novo amigo e descobriu que John Bryant era filantropo e empresário. Em 22 de janeiro de 2008, ele foi nomeado vice-presidente do Conselho de Educação Financeira da Presidência dos Estados Unidos pelo presidente George W. Bush. E a Operation Hope era a primeira organização bancária de investimento social sem fins lucrativos da América, operando agora em 51 comunidades dos EUA e na África do Sul, tendo levantado mais de US$ 400 milhões do setor privado para o combate à pobreza.

Greg começou com o questionamento usual:

— Então me diga, estou escrevendo um livro sobre esse assunto, você encontrou algum desafio ao longo do caminho?

— Com certeza — Bryant respondeu rapidamente. — No entanto, aprendi que o sucesso simplesmente vem de...

— Espere um segundo — Greg interrompeu seu novo conhecido. — Deixe-me anotar isso. — E pegou o bloco de notas, enquanto o novo amigo continuava.

*O sucesso simplesmente vem de seguir de fracasso em fracasso sem perder o entusiasmo.*

— Isso é ótimo! — Greg respondeu. — E parece ser um tema comum entre aqueles que entrevistei.

— Olha — ofereceu Bryant —, precisamos entender que, como humanos, cometemos erros, mas isso não significa que somos um erro. Há uma diferença muito grande.

— Muitas pessoas podem pensar que é fácil para você dizer isso, considerando que está aqui sentado aqui com os pés na areia — desafiou Greg.

— Vou compartilhar uma coisa com você — respondeu John. — Fui um sem-teto durante seis meses. Eu entendo o que é não ter nada. E também aprendi rapidamente que pobreza não é o que você tem no bolso, é o que tem em sua cabeça.

Greg escreveu em seu bloco o que Bryant disse a seguir:

*Dez por cento de sua atitude são determinados pelo que a vida lhe dá, e 90% por como você escolhe reagir.*

— O engraçado é que ser sem-teto foi um dos maiores presentes que eu poderia ter recebido.

— Por quê?

— Isso me fez ver as coisas de uma perspectiva diferente. Como sem-teto, ganhei uma nova mentalidade: "Ei, o que mais pode acontecer comigo? Estou no fundo do poço, cara; o que você vai fazer, me dizer um não? Eu já não tinha nada quando entrei pela porta".

Greg não pôde deixar de rir da atitude expressiva do palestrante. O tempo voou enquanto os dois trocavam histórias sobre suas buscas individuais.

Bryant falava de sua visão e missão com tremenda paixão e convicção. Ele disse:

— Há uma diferença entre estar sem dinheiro e ser pobre. Estar falido é uma condição econômica temporária, mas ser pobre é um estado de espírito incapacitante e uma condição deprimente de ânimo, e você deve jurar que nunca, nunca, nunca será pobre novamente. Todo criador de riqueza tem duas coisas absolutamente claras: uma visão e uma missão. Minha visão para os pobres é ajudá-los a se verem de maneira diferente. Posso fazer isso ajudando a educar, capacitar e, finalmente, inspirá-los. Ver a si mesmos pelo que e quem realmente são: ricos de espírito. Eles são ativos, não passivos, no balanço global do mundo. Porque eu tenho visto muitas vezes que, diante de uma escolha informada, os pobres querem não uma esmola, mas simplesmente uma oportunidade. Eles querem a dignidade decorrente de fazer por eles mesmos. Quando você sabe mais, tende a fazer melhor.

Quando John Bryant se levantou para se despedir, deu seu cartão a Greg e disse:

— Era disso que eu precisava. Você me empolgou para a palestra! Se eu puder ser útil a você de algum jeito, por favor, me procure. — Ele se virou para ir, mas parou. — Você está no caminho certo, persista. Nunca, nunca, nunca desista!

Greg apertou a mão de Bryant, agradeceu por seu tempo e escreveu:

*Todo criador de riqueza é absolutamente claro sobre duas coisas: uma visão e uma missão.*

Greg continuava impressionado com quanto as pessoas bem-sucedidas se dispõem a compartilhar suas experiências e perguntar como podem ser úteis a outras pessoas. Percebendo que uma hora havia se passado, ele teve que se apressar para não se atrasar para o jantar.

— Vou levá-lo à sua mesa — disse a recepcionista, conduzindo-o até uma mesa para dois com vista para o mar. Greg sentou-se e olhou o cardápio, tentando não esticar o pescoço para ver quem poderia ser o convidado misterioso.

Enquanto pensava no que ia pedir, uma voz familiar o cumprimentou.

— Olá, Greg.

Ele sentiu o peito apertado e hesitou antes de levantar a cabeça, tentando encontrar a voz. Não conseguia acreditar que tinha viajado para tão longe para estar com ela. Com uma forte emoção, respondeu:

— Oi, Mia. É maravilhoso ver você.

Quando se levantou para abraçá-la, o guardanapo enroscou na calça e ficou ali pendurado desajeitadamente.

Ela apenas riu e disse:

— Você é tão bobo.

As próximas horas se transformaram nos próximos dias enquanto eles recapturavam lembranças, compartilhavam novas histórias e renovavam a paixão um pelo outro.

Na conversa que parecia nunca ter fim, Mia explicou que o Sr. Buckland havia entrado em contato com ela pessoalmente e informado sobre a viagem de Greg. Foi essa comunicação que a inspirou a dar outra chance ao relacionamento. Jonathan Buckland a tinha ajudado generosamente a organizar esse encontro, sabendo exatamente do que o jovem casal precisava.

Além de encontrar seu antigo amor, Mia também se apaixonou pelo novo homem que Greg se tornara. O homem que ela havia deixado era míope e egocêntrico, muito diferente daquele por quem tinha se apaixonado. Através dos olhos dela, Greg percebeu quanto havia se distanciado de seu eu original e quanta dor causara nesse caminho.

O Sr. Buckland o tinha ajudado a se redescobrir. Jon Buckland havia enxergado além da arrogância que Greg demonstrara e reconheceu seu potencial oculto no homem que queria desesperadamente ter sucesso.

Agora ele havia encontrado seu antigo eu, porém maior, renovado com propósito e missão. Esperava poder ajudar outras pessoas a redescobrir seu verdadeiro potencial, compartilhando as incríveis histórias das pessoas que estava conhecendo. Que presente Buckland dera a ele...

Mia concordava. Ela disse:

— Há muitas pessoas que se importam com você, aparentemente. Eu gostaria de reivindicar o primeiro posto nessa lista, é claro. E era isso que eu esperava e pedia, que pudéssemos ficar juntos assim.

— Eu também — Greg conseguiu dizer. Mas as palavras o deixaram engasgado.

— Sabe quem mais me ligou, além do Sr. Buckland?

Claro, ele não tinha a menor ideia, e Mia continuou:

— Seu irmão, David. Ele queria me dizer que decidiu procurar ajuda para o problema com o álcool. E queria que eu lhe contasse.

— Por que ele mesmo não me falou?

— O quê, ficou maluco? — ela respondeu. E tocou seus lábios com um dedo quando ele tentou protestar. Ele sabia que Mia estava certa, de qualquer maneira. — Porque vocês dois são muito próximos; mesmo que não sejam irmãos de sangue, são tão próximos quanto podem ser os irmãos. Ele ama você, Greg. Sabe que o decepcionou e está envergonhado.

— E o que ele vai fazer com isso?

— Primeiro, vai se internar por 28 dias em uma clínica de reabilitação. A partir daí, vamos ver o que acontece.

— Bem, eu estarei... — O ambicioso aspirante a autor ficou sem palavras. Um sorriso iluminou seu rosto.

— Estará quieto e muito grato. E vai rezar — ela aconselhou. — Isso é o que David precisa de você agora.

Após seu retorno e com o coração cheio de gratidão, Greg foi imediatamente para o escritório de Buckland.

— Como foi a viagem? — Buckland perguntou quando Greg entrou.

— Você sabe exatamente como foi. Foi você quem planejou tudo! Obrigado.

Os dois trocaram um aperto de mãos caloroso, com um afeto que nunca expressaram antes. Era como se, com esse ato simples, se tornassem mais que só aliados – tinham também se tornado amigos.

Muitas semanas se passaram antes que eles pudessem se reunir novamente. Durante esse tempo, Greg tomou a decisão consciente de trabalhar em seu livro e, ainda mais entusiasmado, assumiu o compromisso de se dedicar ao relacionamento com Mia.

Um dos denominadores comuns que descobriu durante sua missão foi que quase todos os grandes líderes com quem havia falado tinham relacionamentos duradouros.

Buckland expôs de outra forma:

— Uma pessoa não é completa até que se case — e concluiu com uma piada —, e então ela está acabada!

Greg riu, é claro, e associou esse fenômeno ao fato de os líderes bem-sucedidos também terem o compromisso de superar momentos desafiadores na vida empresarial. De qualquer maneira que olhasse para as coisas, um líder era um líder, e todos entendiam o poder do que Don Green tinha chamado de uma certa *aderência*.

Nos meses seguintes, Greg trabalhou com afinco no manuscrito do livro sobre os princípios de sucesso que havia aprendido ao longo dessa jornada. Simultaneamente, começou a construir alianças no mundo editorial. Ele almejava criar um burburinho de que estava interessado em algo especial, e esperava que os agentes mais importantes quisessem fazer parte disso.

Concentrando-se na criação do melhor projeto possível, ele aplicava a sabedoria que havia adquirido, estabelecendo a meta de terminar o livro até o final do ano.

Isso permitiria quatro meses inteiros para entrevistas, mais a flexibilidade de envolver um revisor para ajudá-lo com os pontos difíceis, área em que precisava de orientação especializada. Tudo parecia estar indo bem, até que...

Nada aconteceu. Na verdade, nada parecia estar acontecendo em seu caminho. Com renda próxima de zero e a economia afundando em problemas maiores com o passar dos dias, ele estava mais ou menos quebrado.

Além disso, presumira que os agentes que impulsionavam e agitavam o mercado editorial gostariam de fazer parte de seu projeto especial, mas descobriu que não era bem assim.

Cada porta aberta era fechada assim que ele saía. As grandes editoras estavam menos do que entusiasmadas com um autor estreante desconhecido sem um histórico comprovado. Dizer que eram cautelosas e céticas seria um eufemismo.

"Como isso é possível?", ele se perguntou. "Estou perdendo alguma coisa aqui? É a velha situação – não consigo crédito sem crédito, não consigo experiência sem experiência."

Ele conseguiu despertar o interesse de um agente literário que, por sua vez, promoveu encontros com editores. Mas, depois de cada reunião, ele saía com uma rejeição e o espírito enfraquecido. Cada editora tinha mais críticas que a anterior. Ele nunca imaginou que poderia haver tantos motivos para não publicar um livro.

Uma coisa que o manteve nesse processo foi seu fiel bloco de notas. Nele havia palavras de grande sabedoria colhidas em suas entrevistas com muitos líderes que haviam enfrentado as próprias lutas.

Lutando para se tornar o primeiro campeão olímpico de inverno quatro vezes em décadas diferentes, Ruben Gonzalez havia exposto desta forma:

"Primeiro vem um sonho, depois vem a luta, e então vem a vitória. O problema é que a maioria das pessoas desiste na parte da luta e nunca consegue sentir como é a vitória. Pessoas grandiosas têm dois tipos de coragem. Primeiro, têm a coragem de começar, de dar um salto de fé, de agir sem garantias de sucesso. Em segundo lugar, uma vez começada a jornada, elas desenvolvem coragem para resistir, coragem para perseverar. Perseverança é a chave".

Debruçado sobre as páginas de seu caderno, Greg encontrou a mensagem de Ruben Gonzalez resumida assim:

*Você precisa de dois tipos de coragem:*
*primeiro, a coragem para começar. Depois,*
*a coragem para não desistir!*

Dessa maneira, Greg percebeu, as pessoas podem descobrir o que o campeão olímpico chamara de "coragem para ter sucesso".

— Quanto há de verdade nisso? — Greg disse em voz alta, embora ninguém estivesse por perto para ouvi-lo.

Ele pensou no poder da carta de apresentação que Don Green havia escrito para ele e como o tinha ajudado a conseguir entrevistas com ícones dos negócios, mas, ao mesmo tempo, lembrou-se de quanta coragem precisara ter para começar a procurar aquelas pessoas. "Nunca desista", disse a si mesmo, lembrando-se de *Quem pensa enriquece*, de Napoleon Hill, e renovando sua determinação: "Você está a apenas três passos do ouro".

Ele abriu uma página do bloco que tinha muitos sinais de uso e começava a desgastar nos cantos. Nela havia anotações de um de seus encontros com John St. Augustine, produtor do programa de rádio de Oprah Winfrey em seu Harpo Studios.

A história dele passou pela mente de Greg como uma música que se repete. Nos primeiros anos, John St. Augustine trabalhava como agente de segurança do turno da noite. Um dia, vasculhando a caixa de achados e perdidos, ele encontrou o mesmo livro que Buckland tinha dado a Greg, *Quem pensa enriquece*. No fim do turno, ele havia devorado os primeiros capítulos e dado uma nova direção a sua vida.

Anos mais tarde, depois de aplicar o que aprendera com esse texto, ele tinha o melhor emprego de sua vida. Mesmo sem saber, também aplicara sua equação de sucesso, combinando a paixão por entretenimento ao talento para falar em público. Ele começou a trabalhar em vários estúdios até que, finalmente, se tornou parte de uma das maiores associações do setor.

Por mais maravilhoso que tudo isso pudesse parecer, o que chamou a atenção de Greg foi o que St. Augustine disse durante a entrevista. As palavras na página eram:

*Faça coisas comuns de uma maneira comum*
*para obter resultados incomuns.*

O produtor sugeriu que, em vez de tentar misturar as coisas para obter resultados diferentes, as pessoas deveriam fazer a mesma coisa, desde que fosse a coisa certa, repetidamente, até atingir o resultado desejado. O resultado consistente de John foi a realização de sua missão: "Garantir que as pessoas no mundo todo tenham acesso a informações que não apenas as entretenham, mas também as inspirem a uma experiência de vida melhor".

Em vez de falar sobre si mesmo, Greg lembrou que St. Augustine explicara o seguinte:

— Imagine jogadores profissionais de beisebol ou jogadores de golfe tentando uma nova rebatida ou um novo arremesso a cada jogo. Eles nunca poderiam melhorar seu desempenho. O segredo do sucesso é realizar uma série de ações diárias consistentes, com um resultado consistente em mente. Você já sabe disso — ele acrescentou. — A questão é que a maioria das pessoas tem plena consciência do que precisa fazer. Devemos começar a aplicar esse conhecimento e assumir alguma responsabilidade por nossos sucessos ou contratempos pessoais.

Quando pressionado a dizer por que achava que as pessoas desistiam cedo demais, ele declarou, com sua voz gutural de locutor de rádio:

— As pessoas simplesmente precisam substituir o ossinho da sorte por tutano. Muitos ficam sentados querendo que as coisas mudem em suas vidas, mas nunca tomam as atitudes necessárias para tornar esses sonhos realidade.

Greg resumiu a declaração no bloquinho de tesouros.

*Substitua seu ossinho da sorte por tutano.*

Quando fechou o bloco e o guardou no bolso, ele sabia que sua frustração era parte do processo e que estava chegando perto. O progresso em uma parte da vida não garante progresso ou sucesso em todas as áreas da vida.

"Mantenha o curso, rapaz", pensou ele. "Basta ter em mente que você está a apenas três passos do ouro."

Ele sabia que precisava parar de reclamar, bater em mais portas, continuar com as tarefas diárias e melhorar a maneira como apresentava a oportunidade para aqueles que poderiam fazer acontecer. Também sabia que a oração acompanhava a ação e o ajudaria a encontrar a solução para qualquer problema de relacionamento, finanças pessoais, trabalho e carreira, e para alcançar o sucesso final no que ele havia escolhido seguir.

Sua mãe costumava repetir um antigo provérbio: "Deus não vai lhe dar mais do que você pode suportar". E, nesse momento, Greg sorriu com ironia, desejando que Deus não tivesse tanta confiança nele.

A escada

do sucesso nunca

é lotada no topo.”

— NAPOLEON HILL

CAPÍTULO DOZE

# Acreditar em você

À medida que o primeiro rascunho do livro se aproximava da conclusão, Greg continuava muito ansioso com as rejeições e respostas frias. Sabendo que tinha ouro verdadeiro nas mãos, não conseguia entender por que os outros não enxergavam isso também.

O contraponto dessa decepção foi um telefonema de David Engel, que acabara de voltar para casa depois de um longo período de internação em um centro de reabilitação de álcool e drogas no sul da Califórnia.

— Eles estenderam minha permanência de 28 para noventa dias — explicou David. — Acho que sou um caso especial!

— Não sei nem explicar como você fez meu dia valer a pena, Dave. Parece diferente, muito melhor.

— Bem, não bebo há quase cem dias. Isso faz uma grande diferença. E quero ficar sóbrio, Greg, mais do que qualquer outra coisa no mundo.

David explicou o programa de reabilitação e contou o que havia aprendido sobre si mesmo e sobre a doença da dependência. Ele também alertou seu melhor amigo no mundo de que as chances de sucesso ainda eram pequenas, que dependiam de suas atitudes para permanecer sóbrio e manter uma atitude mental positiva, um dia de cada vez.

Era tudo muito parecido com sua vida, Greg pensou. Os dois concordaram em se encontrar assim que David se sentisse mais estável e Greg pudesse se afastar da enorme responsabilidade de terminar o livro com sucesso, e talvez começar a ganhar dinheiro novamente.

Ele recorreu a Mia. Sentindo sua dor e frustração com as últimas rejeições, Mia sugeriu que ele falasse com um de seus conselheiros, que poderia esclarecer sua situação.

Ele pegou o telefone imediatamente.

— Charlie, é o Greg — disse ao cumprimentar Charlie "Tremendo" Jones. — Escute, eu queria perguntar uma coisa. Por favor, seja honesto, você não vai ferir meus sentimentos. O que é que não estou vendo aqui? Não importa quantas consultas enviamos sobre o projeto, sempre recebemos de volta um grande e velho "Não, obrigado" como resposta.

— Bem, isso é uma ótima notícia! — seu professor exclamou.

— Como assim? Estamos sendo rejeitados por todos — disse Greg. — Eu me sinto um fracasso.

Charlie perguntou.

— Quer saber o segredo do sucesso?

— Sim, claro — respondeu Greg.

— Bom julgamento. Quer saber de onde tiramos o bom julgamento?

— Claro.

— Experiência.

— Faz sentido — disse o aluno.

— Sabe onde obtemos experiência?

— Onde?

— No julgamento ruim — Jones respondeu bem-humorado. — Meu bom amigo Ed Foreman diz que não existem fracassos, só experiências de aprendizado.

— Eu o conheço, ele foi a primeira pessoa a se eleger para o Congresso por dois estados diferentes, Texas e Novo México.

Jones continuou falando sobre seu amigo.

— Quando ele era jovem, viu um filme chamado *Assim caminha a humanidade*.

— Eu já vi esse, é com James Dean, não é?

— É esse mesmo. Jones conta que viu o filme três vezes, porque ficou muito cativado e comovido com a ideia de fazer descobertas nos campos de petróleo como o personagem fazia no filme. Armado com uma pequena mala e uma tonelada de esperança e entusiasmo, ele foi para o sul.

— E encontrou petróleo?

— Não, mas explorou uma mina de ouro. Não no sentido literal, mas ele descobriu um jeito de fazer fortuna comprando e vendendo água salgada para os funcionários da mineração. Eles usavam a solução para lubrificar as brocas à medida que desciam, mas nesse processo também preenchiam o buraco, de modo que precisavam abri-lo novamente retirando a água. Um grupo pagava para ele transportar o material quando terminava a perfuração, e outro pagava novamente para entregá-lo em outro lugar.

Os olhos de Greg se iluminaram com a imagem dos caminhões passando um pelo outro, cheios de líquido. Isso, sim, era ganhar dinheiro na ida e na volta...

Charlie continuou:

— A história continua. O fisco ficou sabendo daquele jovem desconhecido e pretensioso ganhando todo aquele dinheiro nos campos e achou suspeito. Ele estava ganhando milhões. Inédito para alguém em sua idade. O governo enviou um investigador para ver o que ele estava fazendo. Como não tinha nada a esconder, ele providenciou uma mesa de escritório para o agente e o convidou a acompanhá-lo.

— Eles encontraram alguma coisa?

— Nada. Mas com certeza queriam, e isso deixou Ed chateado, como você pode imaginar. A partir daí, ele concluiu que o governo tinha poder demais e quis fazer algo a respeito.

— E por isso concorreu ao Congresso — disse Greg.

— Exatamente! Depois de servir anos pelo Texas, ele se mudou para o Novo México, onde mais uma vez concorreu ao Congresso.

— Oh, e assim foi eleito por dois estados diferentes — disse Greg.

— A questão é que, quando você sabe o que está fazendo e tem certeza de que está prestando serviço a outras pessoas, nunca deve deixar outro ditar suas ações. Ed Foreman afirma que aprendeu as lições mais valiosas de sua vida com essa experiência e diz que, desde que você aprenda algo à medida que avança, pode ter certeza de que o sucesso está por vir.

— Estou com vontade de jogar meu livro para o alto; na lata de lixo, na verdade — disse Greg com um pouco da arrogância e frustração anteriores.

— Vá em frente, talvez seja disso que precisa — sugeriu Jones.

Surpreso com a resposta, Greg repentinamente abandonou a atitude de "pobre de mim" e perguntou timidamente:

— Você realmente acha que eu deveria jogar meu projeto fora?

— Aposto que quase todos os grandes autores já sentiram o mesmo que você uma vez ou outra. Eu já senti. Na verdade, vou contar uma história sobre um dos maiores autores de todos os tempos que fez exatamente o que você está propondo. O nome dele é Norman Vincent Peale.

— Ele escreveu *O poder do pensamento positivo*.

— É verdade, mas até ele foi confrontado por rejeição, dúvida e insegurança. Em um momento ou outro, todo mundo sente medo; a única diferença entre aqueles que são bem-sucedidos e aqueles que não são é que as pessoas bem-sucedidas continuam em frente de qualquer maneira, apesar do medo.

— Sério?

— Claro. O que estou prestes a ler para você faz parte de uma carta escrita pela Sra. Peale. Ela acabou de me enviar para entregar a você.

— O quê? — Greg perguntou. — Por que para mim?

Charlie respondeu:

— Contei a ela sobre você e sua jornada e perguntei se ela poderia se encontrar com você. Infelizmente, ela não está disponível para receber novos visitantes no momento, mas enviou esta carta, da qual acho que você vai gostar. Como vai ver, você não é o primeiro autor a se sentir desse jeito. Nele, ela diz:

*Admiro seu desejo de vir de sua casa na Califórnia até o escritório da Guidepost em Rye, Nova York. Pelas informações que recebi, parece que você enfrentou vários obstáculos na vida e está prestes a desistir. Bem, acho que posso contar uma história real com a qual você pode aprender. E, mais tarde, quando ficar desanimado e quiser desistir, espero que se lembre dela e continue na direção de seus objetivos.*

*Como você certamente deve saber, meu nome é Ruth Stafford Peale, e recentemente comemorei meu centésimo primeiro aniversário. Lembro-me como se fosse ontem, quando meu aniversário de 100 anos foi comemorado. Eu disse a amigos durante anos que, quando eu fizesse 100 anos, faria uma grande festa como nunca havia feito. O evento foi realizado no Marriott da Times Square com centenas de amigos que viajaram para Nova York para estar comigo. Foi simplesmente maravilhoso.*

As homenagens que recebi dariam um livro como A Lifetime of Positive Thinking. No entanto, com a ajuda de Jo Kadlececk, escrevi a história que quero contar a você. É sobre não desistir quando você pode estar a apenas três passos do seu pote de ouro.

Meu marido, Norman, sofreu durante toda a vida com o que hoje chamamos de complexo de inferioridade. Isso sempre me deixou perplexa, porque sempre o vi como um homem extremamente talentoso e sensível, cujos dons se traduziram bem em sua vida como pregador, conselheiro, pai, marido e amigo. Mesmo assim, fosse falando para milhares em uma conferência, fosse pregando para uma multidão em Nova York, Norman não se sentia muito confiante no que fazia. Então, me peguei tentando incentivá-lo a usar seus dons.

Quando Norman começou a escrever os primeiros livros, ele se sentia um fracasso. Em um em particular, ele tentou explicar os princípios do cristianismo em uma linguagem fácil de entender. O livro discutia técnicas simples extraídas da Bíblia para incentivar as pessoas a renovar suas atitudes sendo gratas e recorrendo às Escrituras para encontrar poderosos versos de fé. Norman não estava satisfeito com o que havia escrito. Ele jogou o manuscrito na lata de lixo. Tinha certeza de que não era bom.

Encontrei o manuscrito, limpei e mandei para uma editora. O livro, *A Guide to Confident Living*, teve 25 edições nos anos seguintes. Era um livro muito interessante, com uma mensagem de que, com a ajuda de Deus, você pode fazer qualquer coisa.

É claro, Norman escreveu outros livros, entre eles O poder do pensamento positivo, que permanece em catálogo até hoje.

Espero e rezo, rapaz, que durante essa visita você se sinta incentivado quando a vontade de desistir aparecer, como acontece com todo mundo em algum momento da vida.

Ruth Stafford Peale

O silêncio de Greg era eloquente. Mesmo incentivado por essa poderosa mensagem, ele se sentia imediatamente humilde.

— Charlie, preciso confessar, isso era justamente o que eu precisava ouvir.

— Eu sei, por isso li a carta para você, cabeça-dura — repetiu o grande conselheiro.

Greg riu da franqueza de Jones.

— Entendo agora o poder de ter um grande cônjuge ou mentor. Essa história é impressionante.

— Quer ouvir uma boa história sobre superação de rejeição e o poder de ter alguém que acredita em você? Desligue e ligue para Don Green, peça a ele para mandar uma cópia de uma das cartas que Hill escreveu para casa quando estava fora, tentando fazer o que você está fazendo agora, há cem anos!

Antes de desligar, Greg agradeceu a Jones, pegou o bloco e escreveu:

*Aja apesar do medo.*

Depois ligou para o número que sabia de cor.

— Oi, Don, é o Greg. Acabei de conversar com Charlie Jones, ele mandou lembranças.

— Como ele está? — Green quis saber.

— Bem, acho. Ele me deu uma injeção de ânimo. Estava me afogando em autopiedade por causa de todas essas rejeições, mas ele me abriu os olhos. Nunca pensei que teria tanta dificuldade para publicar um livro. Ele disse que eu devia pedir a você uma carta que o Sr. Hill escreveu para casa quando estava fora, tentando divulgar seu trabalho.

— Ele mandou muitas, mas acho que essa a que ele se refere está na sala vizinha. Espere um minuto. — Greg ouviu quando ele chamou a secretária. — Annedia, pode me trazer a pasta com as cartas do Sr. Hill, por favor?

— Charlie leu a carta que a Sra. Peale escreveu para mim. Foi incrível — contou Greg.

— Sim, ela é especial. Aqui está — Green anunciou ao encontrar o texto que queria compartilhar. Greg ouviu quando ele agradeceu à secretária. — Embora o livro de Hill tenha vendido milhões de cópias e ajudado milhões de pessoas a mudar de vida, fazendo dele um grande sucesso, muita gente não sabe o que ele passou nos primeiros anos para entrar no mercado.

— É difícil de acreditar. Ele é uma lenda.

— Não seria, se tivesse desistido ou, mais importante, se tivesse cedido às críticas e à rejeição. Mas ele sabia que não podia ser assim. Na verdade, ele tinha o que você mencionou antes, "o conhecimento".

— É como me sinto. Sei quanto esse projeto é importante, e todos vocês também sabem.

Don riu.

— Bom, isso já é mais do que Napoleon tinha. A carta que vou ler para você expressa o desejo dele de ter um décimo do que você já tem. Ele escreveu para a esposa.

### INCENTIVO

*"Logo teremos muito dinheiro. Eu vou ganhar, deixe comigo, mas, enquanto isso não acontece, me incentive e me diga que acredita que sou capaz disso. Você não tem ideia de como é quando ninguém o incentiva e todas as forças negativas se derramam sobre você. É preciso ter força de vontade sobre-humana para se livrar delas. Daria qualquer coisa para ter alguém que me dissesse, mesmo sem querer ou sem acreditar nisso, que sabe que vou conseguir alcançar o suces-*

*so. Queria ouvir isso todos os dias, e às vezes duas vezes por dia. Fico dizendo isso a mim mesmo, mas não é a mesma coisa que ouvir de outra pessoa. Aquele outro eu em mim insiste em negar quando faço essa afirmação. Suponho que entenda o que estou dizendo, não? Se entende, pode se pôr no meu lugar e, talvez, me ajudar. Só preciso de um pouco de incentivo agora, e seguirei em frente em grande estilo e levarei o sustento para casa."*

Carta escrita por Napoleon Hill de Cleveland, Ohio,
em 18 de fevereiro de 1925, para a Sra. Florence Hill

— Rapaz, isso me faz ser grato pelo que tenho. — Greg pensou em Mia, David, na família, nos amigos e mentores que conhecera recentemente, em tudo que tinha aprendido em sua busca por conhecimento sobre os princípios do sucesso. — É muita sorte ter todo esse apoio. O Sr. Hill era um homem de fibra, não era?

— Sim, de fato. E ele também entendia o poder da AMP.

— O que é isso?

— Bem, se esperar um minuto, James Oleson, presidente da nossa fundação, está aqui para a reunião anual do conselho. Ele é especialista no assunto.

Antes que Greg pudesse aceitar, ele ouviu um clique e a música de fundo da espera.

— Jim falando — uma voz agradável anunciou do outro lado do país.

— Olá, senhor, aqui é o Greg — ele respondeu respeitoso (e se sentiu bem por isso).

— Sei quem você é. Don não para de falar de você aqui no escritório. Ele disse que você quer saber o que é AMP.

— Sim, e Don disse que o senhor é autoridade nisso.

— Pode-se dizer que sim. Vivo com uma atitude mental positiva, como Hill sugeriu há muitos anos.

— Não é mais fácil falar do que fazer? — perguntou o estudante da Costa Oeste.

— Bem, esse é um exemplo do contrário de uma atitude mental positiva, não é, rapaz?

— Acho que sim — Greg respondeu acanhado. — Ok, entendi. De agora em diante, vou aderir à filosofia da atitude mental positiva. Quero dizer, é melhor que a alternativa, certamente.

— Certamente — concordou Oleson. — Dediquei toda a minha carreira a me cercar apenas de pessoas que compartilham da mesma atitude em relação à vida.

— Sério?

— Dizem que você deve se afastar de pessoas com uma atitude mental negativa. Eu digo que você deve se afastar *correndo*! Descobri que, se você se cerca de gente feliz e positiva que apoia seus sonhos, é muito comum que esses sonhos se realizem.

Greg pegou o bloco e escreveu:

*Fuja de pessoas com atitudes negativas.*

— E se não houver pessoas felizes de quem se cercar, como aconteceu com Hill quando ele tentava publicar seu livro?

— É fácil. Encene até conseguir.

— Nisso eu sou bom — disse Greg.

— Minha história favorita de Hill é de quando ele foi a uma exposição de livros para vender seu trabalho. Depois de ter sido rejeitado por todos na cidade, ele usou o último dinheiro que tinha para alugar um quarto em um hotel próximo. O homem que não tinha dinheiro para comprar a passagem de volta para casa alugou um quarto com os últimos recursos que tinha.

— Por que ele fez isso?

— Porque pretendia ir à exposição e convidar os editores para irem ao seu quarto analisar seu trabalho. Quando vissem a suíte luxuosa, eles imaginariam que ele sabia o que estava fazendo e não precisava de dinheiro, e fariam ofertas imediatamente... que renderiam milhares de dólares.

— Ótima história! Mas, diga, o senhor se questiona?

— Com muita frequência — respondeu Oleson, e encerrou a conversa com uma citação útil que Greg anotou:

*As pessoas duvidam de suas crenças, mas acreditam em suas dúvidas. Acredite em si mesmo, e o mundo acreditará em você.*

Não existem limitações para a mente, exceto aquelas que reconhecemos.

— NAPOLEON HILL

CAPÍTULO TREZE

# Oportunidades

Apesar de todo o incentivo e toda a sabedoria que havia recebido de tantas pessoas, os sentimentos humanos de dúvida e frustração eram quase irresistíveis para Greg. Sua conta bancária estava negativa, mas Mia agora mantinha um teto sobre sua cabeça em um apartamento muito mais razoável.

"Algum dia serei escritor? Estou fazendo a coisa certa? Ou isso é só mais uma fantasia que inventei?", era o que ele se perguntava.

Mia o surpreendeu em um momento sem reservas, quando ele trabalhava no manuscrito em meio à bagunça – para dizer de maneira delicada – de sua área de trabalho no apartamento.

— O que está acontecendo? — ela perguntou.

— Só não está funcionando como eu queria — Greg resmungou.

— Talvez esteja com dificuldade para aceitar que as coisas *vão* dar certo, mas não exatamente do seu jeito ou no seu tempo.

Ele revirou os olhos, deu as costas para ela e abriu a porta.

— Ei, saia do poço de autopiedade e limpe essa bagunça — ela disse. — Olhe em volta. Relaxe. Anime-se. Faça o trabalho que tem que fazer.

Greg não estava ouvindo.

— Não é à toa que ninguém acolhe esse projeto, ele é ruim — disse. — De onde tirei a ideia de que tinha capacidade para isso?

— Terminou? — Mia perguntou com aquele tom que se usa para falar com uma criança de três anos.

— Sim, mas é uma droga que...

— Não, chega — Mia interrompeu, pondo um ponto final nos comentários autodepreciativos. — Agora que já desabafou, vamos reagrupar.

— Não preciso disso — Greg protestou. — Você não é minha mãe. Se quisesse ouvir seus conselhos, eu teria pedido.

— E pediu. Você me pediu para voltar. Eu decidi estar aqui. Escolhemos estar juntos. Não vou discutir com você, Greg. Mas também não vou embarcar nesse seu egocentrismo. Você precisa ouvir e desligar esse trem desgovernado na sua cabeça.

Então o telefone tocou, evitando uma briga.

— Oi, Greg, Don Green. Como vai?

— Não muito bem, como sempre — Greg respondeu.

— É bom se recuperar depressa, porque vai ter que telefonar para uma pessoa. É um amigo da Fundação e um seguidor convicto do trabalho de Hill. Vou pedir para minha secretária mandar a biografia para você. Quero que entre em contato e peça para ele lhe contar sua história. Fale sobre superação de desafios, esse cara tem uma excelente mensagem.

— Vou ligar — Greg respondeu com tom revigorado. — Fiquei um pouco deprimido com como as coisas têm acontecido, desculpe. Cheguei ao ponto em que estou esperando enxergar algum sinal.

— Então não vai ver nenhum. A maioria das pessoas passa a vida toda se orientando pela filosofia de ter que ver alguma coisa antes de acreditar nela, quando, na verdade, só precisa acreditar em alguma coisa. Precisa saber que é verdade, e só então esse sinal se revela.

O estudante pegou o bloco bem manuseado, guardado em uma valise cheia de roupa suja em um canto do escritório. Precisava realmente terminar de se mudar para o apartamento de Mia e se organizar. Devolvendo a atenção ao bloco, ele escreveu:

*É preciso acreditar para ver.*

— Obrigado, Don, eu estava precisando ouvir isso — Greg respondeu reconhecido.

— Mande notícias — Green pediu antes de desligar.

Greg sentou-se diante do *laptop* para tentar escrever mais uma página...

Na manhã seguinte, acordou para um dia completamente diferente e com uma atitude muito melhor.

Greg sentia-se em uma encosta escorregadia, mas não havia caído... ainda. Mais importante, também via Mia com novos olhos. Ela o apoiava mais que nunca. E tinha visto em primeira mão a mudança no homem de sua vida. Agora, quando caía, ele se levantava mais depressa, e sua atitude era cada vez mais forte.

— O Sr. Dudley, por favor — Greg pediu à telefonista quando ligou para marcar sua próxima entrevista.

— Ele estava esperando sua ligação. Na verdade, neste momento ele está viajando, está no Texas, e me pediu para fornecer o número de seu celular — ela respondeu.

Enquanto fazia a nova ligação, Greg pensava em como as coisas tinham mudado. Meses antes, ele havia praticamente roubado o paletó de uma pessoa, mas, posteriormente, decidira devolvê-lo só para conhecer o dono. Hoje, tinha literalmente um "Quem é quem" na agenda de contatos do celular. E todas essas pessoas incríveis narraram suas histórias para ajudá-lo. Agora, sua missão – e seu dever – era disponibilizar essas histórias para todo mundo.

— Joe falando — Dudley atendeu, e Greg voltou ao presente com um sobressalto.

Antes de ligar, tinha feito uma pesquisa rápida sobre o entrevistado. Joe Dudley era cofundador, presidente e CEO da Dudley Products, um dos maiores fabricantes de produtos para cabelos étnicos e produtos de beleza no mundo, bem como fornecedor de treinamento em cosmetologia. Com um investimento original de apenas US$ 10, Dudley havia construído um lucrativo império de US$ 30 milhões. Depois da primeira fábrica, instalada na cozinha de casa, tendo esposa e filhos como funcionários, agora Dudley comandava uma empresa com uma sede de sete mil metros quadrados e quatrocentos empregados. Porém, Dudley era muito mais que um empresário bem-sucedido. Era conhecido internacionalmente como palestrante motivacional e humanitário que dedicava boa parte de seu tempo a atividades de retribuição para a comunidade.

— Ei, Joe, é Greg, aqui de San Diego. Sou amigo de Don Green.

— Ah, oi, ouvi falar sobre o que está fazendo — disse Dudley. — O mundo precisa de um livro como esse em que está trabalhando. Todos nós precisamos lembrar de vez em quando que cair não significa ficar no chão.

Esse homem o estava espionando, ou algo assim? Como ele sabia o que estava passando?

— Tenho algumas histórias para contar — Dudley continuou. — Imagine ser um vendedor ambulante negro, sem estudo e com dificuldade de fala, na década de 1960. Fui rotulado de mentalmente retardado. Na verdade, tive uma namorada que rompeu comigo porque não queria ter filhos idiotas.

— Só pode estar brincando! Como lidou com isso?

Dudley respondeu:

— Desenvolvi uma estratégia que me ajudou nos momentos mais difíceis. É um mantra pessoal mais ou menos assim...

Sentindo que ouviria uma grande mensagem, Greg pegou o bloco e anotou:

*Eu posso. Eu vou. Eu estou.*

— Significa que posso fazer, vou fazer, estou fazendo! Temos que ficar longe do que é negativo. Muita gente vai ter atitudes negativas em relação ao que estiver fazendo, se fizer bem alguma coisa. A verdade é que, se as pessoas não o criticarem, é bem provável que não esteja fazendo o suficiente. Não é que considerem ruim o que você está fazendo; as pessoas só têm medo de perder de você, de que cresça e se afaste delas.

Greg ficou em silêncio por um longo momento, absorvendo os pensamentos daquele grande líder empresarial.

— Ir de porta em porta mudou quem eu era, e eu pude mudar a vida de outras pessoas. Quando eu era criança, os professores de gramática diziam à minha mãe que eu era mentalmente retardado e nunca chegaria a nada. Minha mãe me dizia: "Eu acredito em você. Sim, sei que é lento, droga, até você sabe que é lento. Mas a boa notícia é que, mesmo lento, quando você absorve alguma coisa, ela fica!".

Greg riu do entusiasmo contagiante de Dudley, que continuou:

— Minha mãe acreditava em mim, e eu acreditava na minha mãe, o que me ajudou a acreditar em mim mesmo. Tive a sorte de conhecer o amor da minha vida e me casar com ele, e criar filhos bem-sucedidos e com uma excelente educação. Lembre-se disto, exatamente como disse Napoleon Hill: cada obstáculo e desafio traz nele uma oportunidade igual ou maior. Aprendi que há uma vantagem em tudo. Há uma vantagem em ser rápido, e uma em ser lento; uma em ser alto, e uma em ser baixo. A chave é descobrir qual é sua vantagem e utilizá-la. Mas o segredo é este: se não a utiliza, alguém a toma de você.

Greg resumiu a ideia de Dudley em seu bloco:

*Encontre e use sua vantagem, ou alguém a tira de você.*

Dudley prosseguiu:

— A questão é: em que você é bom?

Sentindo uma confiança renovada, o rapaz perguntou:

— Com todos esses anos de experiência, qual seria sua definição de sucesso?

O silêncio se estendeu do outro lado da linha, e Greg teve receio de ter dito alguma coisa errada. Depois, com grande energia, Joe Dudley respondeu:

— O mundo mudou realmente nesses anos. Quando eu era estudante, desde a escola fundamental, só me aceitaram em um *campus* segregado. Em casa, não tínhamos TV, rádio ou roupas elegantes. Éramos quatorze pessoas em um barraco pequeno, e fazíamos o melhor possível com isso. Uma coisa que nunca mudou é que pessoas de qualquer origem e qualquer área podem fazer o que quiserem, desde que sejam intensas e se disponham a se destacar da multidão.

Ele respirou fundo e continuou:

— No mercado de hoje, um indivíduo tem que criar o próprio emprego. Não podemos mais contar muito com outras pessoas para cuidar de nós. Você precisa criar a função que é certa para você. Tem que ser um criador de emprego, não alguém que procura emprego.

Antes de responder, Greg percebeu que estava no caminho certo, afinal. Tinha uma oportunidade de ouro para seguir sua Equação do Sucesso, e agora deveria seguir os conselhos de seus mentores e aplicar o que havia aprendido. Ele pediu a Dudley um conselho para as gerações seguintes. A resposta de Dudley foi esta:

— Encha a mente com livros inspiradores. Trabalhe muito, trabalhe mais e, no fim, torne-se um criador de empregos, não alguém que procura emprego. Em outras palavras, crie suas próprias oportunidades.

Greg acrescentou às anotações no bloco:

*Seja um criador de empregos, não alguém que procura emprego. Crie suas próprias oportunidades.*

Naquela noite, o telefonema que ele temia aconteceu.

Havia tentado falar com David durante a semana anterior, sem sucesso. Tinha deixado algumas mensagens, mas não houve retorno. Antes disso, os dois conversavam quase diariamente. David ia às reuniões, criava um novo estilo de vida sem álcool ou drogas, pensava nos passos seguintes que daria na carreira.

Greg estava muito feliz com o progresso de David. Conseguia ouvir a energia renovada e o foco na voz dele. Mal podia esperar para vê-lo, passar um tempo com um amigo e irmão sóbrio. Mas, de repente, nada...

Foi bom Mia estar com ele quando pegou o celular para atender à ligação.

— Dave? Por onde andou, parceiro?

Na primeira frase, ficou claro que David tinha bebido.

— Eu... tropecei — ele admitiu.

Greg quase ficou sem fala. Quase. Cheio de medo, decepção e raiva, disse:

— Vai dormir, tenha uma boa noite de sono e ligue para mim amanhã cedo, Dave. E... não beba amanhã.

Não crie a expectativa de ter problemas, porque eles não decepcionam.

— NAPOLEON HILL

## CAPÍTULO QUATORZE

# Atitude

A entrevista com Joe Dudley e a escorregada de Dave empurraram Greg para a ação. Estava farto da negatividade que havia invadido sua consciência. Estava comprometido com a decisão de tornar esse livro uma realidade, e estava ainda mais convencido de que ele seria um *best-seller*. E agora, pelo jeito, outras pessoas começavam a pensar a mesma coisa.

Usando todas as mensagens de seus encontros, ele havia criado um tema que certamente faria do livro um grande sucesso. Não demorou muito para sua agente marcar reuniões com as maiores editoras da cidade de Nova York, as mesmas que o haviam rejeitado antes.

Viajar à costa leste fora um acontecimento, mas era a reunião da uma da tarde que realmente interessava a ele. Quando parou na frente do Madison Square Garden, ele logo percebeu que encontraria representantes de uma das editoras de maior prestígio no mercado, na cobertura de um dos prédios mais famosos do mundo. O coração disparou.

Em torno da grande mesa de reuniões estavam o chefe do departamento de publicidade, o diretor de design gráfico e o vice-presidente de novas aquisições. Que experiência incrível! Finalmente, Greg sentiu que seu grande momento estava chegando.

Durante a reunião, ele descreveu como o livro fluiria, sugeriu ideias para a capa e discutiu os conceitos para uma distribuição eficiente. Todos pareciam amar o projeto.

Quando saíram da reunião, Marge, sua agente, passou um braço sobre os ombros dele e disse:

— Prepare-se para algo grandioso.

Greg estava eufórico. Tudo finalmente começava a dar certo. Naquela noite, foi impossível dormir: a mente estava frenética, imaginando todo o progresso que estava prestes a fazer.

No dia seguinte, o telefone tocou cedo em seu quarto.

— É a Marge. Temos uma oferta.

Mais empolgado do que poderia descrever, Greg pulou da cama.

— Qual?

— Na verdade, fiquei surpresa — ela falou em voz baixa. — Fazia anos que não via uma oferta tão baixa. É quase constrangedora, ou pode ter sido até um erro de digitação.

Com a sensação de que todo o ar havia sido extraído dos pulmões, Greg perguntou:

— Qual é o próximo passo?

— Bem, já telefonei e deixei um recado para ter certeza de que não foi um engano, e entro em contato com você assim que tiver uma resposta. Sinto muito, achei que você iria querer saber.

O novo autor ficou em silêncio por muito tempo, revendo mentalmente a reunião do dia anterior e pensando em cada palavra que tinha dito sentado àquela mesa.

Nada se encaixava. Todos na sala pareciam sinceramente interessados, a energia era vibrante, e o *feedback* confirmava sua interpretação.

Como essas pessoas podiam deixar de agarrar um projeto como aquele? Tinha *insights* incríveis de líderes mundiais, grandes pílulas de sabedoria, sem mencionar o apoio da Fundação Napoleon Hill. Não fazia sentido.

Ele decidiu não contar nada a ninguém até ter mais informações.

Pegou o livro que oferecia às editoras e começou a ler o próprio manuscrito, refletindo acerca de tudo que aquelas pessoas tinham enfrentado até encontrar, ou melhor, criar o próprio sucesso.

Mais uma vez, lembrou as semelhanças entre as próprias batalhas e aquelas sobre as quais escrevia. Era como se a história não fosse escrita por ele, mas para ele.

Tomado por um sentimento renovado de compromisso e entusiasmo, ele recuperou a compostura, tomou um banho, vestiu a camisa favorita e se lembrou de algo que um dos entrevistados tinha dito.

*Se você quer que alguma coisa mude,*
*mude o jeito de olhar para ela.*

Isso tinha sido anotado em uma reunião recente com um senhor chamado Bob Proctor, fundador do império de treinamento pessoal chamado Life Success.

Proctor tinha contado uma história incrível sobre superar adversidade. Ele dissera que, quando finalmente concluiu seu primeiro livro, o esqueceu no banco de trás de um táxi sem seu nome, endereço ou qualquer informação para contato. Quando contou à esposa, ela se surpreendeu com sua atitude calma. E perguntou:

— Por que não está aborrecido?

A resposta dele era o que Greg lembrava com mais clareza.

— Provavelmente, não era tão bom.

E Proctor se dedicou a reescrever o livro do zero, e acabou criando um *best-seller* internacional.

Quando a maioria das pessoas teria desistido e cedido à decepção, ele preferiu olhar para a situação de um ponto de vista completamente otimista e reescrever o livro de uma nova perspectiva, estabelecendo que a perda do manuscrito original era uma bênção disfarçada.

Proctor também dissera a Greg:

— Tem mais uma afirmação em que acredito e pela qual me guio: seu dia e sua atitude são determinados nos primeiros cinco minutos depois que você acorda.

Greg consultou o bloco e percebeu que não tinha registrado essa ideia, por isso a anotou:

*Os primeiros cinco minutos determinam seu dia.*

Aplicando essa verdade simples, Greg passou instantaneamente da sensação de ser um fracasso para a constatação de que estava longe de ser um fracasso. De fato, uma das maiores editoras do mundo queria lançar seu livro; a oferta era surpreendentemente baixa, para um adiantamento de royalties. Tinha que admitir que ela se baseava, provavelmente, em sua total falta de experiência como autor.

A agente havia ficado tão deprimida porque, provavelmente, também esperava que o livro fosse um grande sucesso e resultasse em um grande adiantamento.

Greg transformou sua decepção em gratidão por ter recebido a primeira oferta para se tornar um escritor publicado.

Ele telefonou para todo mundo que conhecia e deu a grande notícia, falando sobre a montanha-russa emocional em que se encontrava e pedindo orientação, ou, como Jon Buckland chamava, "conselho" sobre qual deveria ser o passo seguinte.

— Parabéns! — disse Buckland. — Agora que recuperou sua confiança, sabe que uma editora, pelo menos, quer seu livro. Sugiro que continue procurando e entenda que isso é só parte do processo.

— Obrigado, Sr. B. — respondeu o aprendiz. — Acho que, se tudo viesse fácil, eu não apreciaria tanto.

— Ótima atitude, e é verdade. Além disso, saiba que, com o tempo, você vai ter sucesso, e embora essa editora talvez não seja a que vai escolher, você se saiu bem, mesmo assim. E mais uma coisa: lembre-se de que isso não tem a ver só com você. Tem a ver com divulgar todas essas grandes mensagens de uma equipe de primeira classe sobre histórias de sucesso. Lembre-se de que tem com eles o dever de se manter no rumo certo.

Com o vigor renovado, Greg decidiu o rumo que daria ao projeto e pediu à agente para recusar a oferta inicial, sabendo que algo melhor estava por aí em algum lugar.

Àquela altura, os poucos meses que Greg estabelecera para si mesmo como prazo para concluir o livro haviam sido ultrapassados muitas vezes, mas o sonho continuava vivo. Refletindo sobre a situação e virando as páginas do bloco de anotações, ele viu um nome que tinha quase esquecido: David M. Corbin, um inventor premiado, palestrante e criador de um processo chamado *Iluminar*.

Ele lembrou uma história que Corbin havia contado sobre trabalhar com um grupo de profissionais de saúde ocular. Embora os médicos soubessem que seus pacientes precisavam de óculos de qualidade, também admitiam que eram muito melhores como médicos do que como vendedores. O que Corbin fez foi simplesmente apontar, ou iluminar, que eles estavam em um estado coletivo de negação. Os pacientes precisam de óculos, e alguém teria que vendê-los. Corbin mostrou aos médicos que, em vez de pensar em ser mascates, eles deveriam desviar a atenção para a solução do problema. Nesse caso, deveriam desenvolver uma nova atitude, a de que prestavam um serviço ajudando seus pacientes a comprar aquilo de que precisavam para ter mais qualidade de vida.

Isso é que é mudar o jeito de olhar para alguma coisa, Greg pensou, relendo as anotações que havia feito em sua reunião com Corbin.

*Acentue o positivo e ilumine o negativo.*

Como a antiga canção de Johnny Mercer, mas com uma modificação. Embora Corbin fosse ferrenho defensor de manter uma atitude mental positiva, ele também entendia o poder de dar a devida atenção às áreas que precisavam de algum trabalho. Você usa sua AMP para iluminar o negativo, lida com ele e segue em frente!

Esse é um bom conselho, ou melhor, "orientação", Greg pensou, percebendo seu erro. Sabendo que o bom conhecimento não vale nada, a menos que seja aplicado, ele deixou o bloco de lado e pegou o celular.

— Charlie, é o Greg. Posso lhe fazer uma pergunta?

— É claro — respondeu o mentor. — O que quer saber?

— Seja honesto comigo. O que estou deixando de ver nesse projeto do livro? Tem alguma coisa que eu deveria estar fazendo?

— Na verdade, tem — Jones respondeu sem hesitar.

Apesar de ter perguntado, Greg ficou chocado com a rapidez da resposta.

— O que é? — insistiu.

— Ken Blanchard e eu estamos trabalhando em um novo livro — disse Jones —, e, enquanto comparávamos nossas anotações, percebi uma coisa. Você tem pura magia nas mãos, uma ótima história com incrível sabedoria de pessoas muito bem-sucedidas, mas ainda falta uma coisa.

Greg ficou em silêncio, esperando a iluminação.

— Precisa de ajuda com a redação. Você é ótimo, mas até Ken e eu recorremos a ajuda externa para isso. A verdade é que o projeto ficou maior que você, e, mais importante, você agora tem com as pessoas que entrevistou o dever de pedir ajuda para contar essas histórias da melhor maneira possível. Quero que pense em procurar um coautor que possa ajudá-lo a tornar esse livro o melhor que ele pode ser. Faça isso pela Fundação Napoleon Hill, pelas pessoas que entrevistou e por você mesmo. É só isso que falta. — E ele concluiu: — Como sabe, creio que o maior elemento do sucesso é a fé, e quero que entenda que tenho fé em que vai fazer a coisa certa.

"Sem pressão", Greg disse a si mesmo, consciente de que tinha acabado de levar uma sacudida e ouvido o que poderia ser a peça que faltava no quebra-cabeça.

"Acho que, quando você está pronto para iluminar alguma coisa, também tem que ser forte o bastante para aceitar a iluminação", ele pensou. Mal podia esperar para contar isso a Mia.

O sucesso não requer explicações.
O fracasso não permite justificativas.

— NAPOLEON HILL

CAPÍTULO QUINZE

# Associação

Na manhã seguinte, quando acordou, Greg telefonou para um dos mentores em que mais confiava.

— Oi, Don, sou eu. Falei com nosso amigo Charlie ontem...

Antes que pudesse terminar a frase, Green o interrompeu:

— Sim, ele me ligou. O que acha?

— Faz sentido. Esse projeto nunca foi sobre mim. O principal é a mensagem, essa é a parte mais importante. Só não conheço ninguém no ramo que seja forte o suficiente para nos dar o apoio de que estamos falando.

— Sabia que ia dizer isso. Vou lhe dar um número de telefone.

Simples assim. Esperando pelo telefonema, Don Green estivera pensando em quem seria o melhor candidato.

— O nome dela é Sharon Lechter. Ela trabalhou conosco em alguns outros projetos. Telefone para ela e veja o que pode ser feito. Sei que ela pode fazer muito por esse livro.

— Eu conheço o trabalho dela? — perguntou Greg, o autor calouro.

— Certamente. Ela é coautora do livro *Pai rico, pai pobre* e de outros quatorze títulos na série Pai Rico. Acho que foram vendidas 27 milhões de cópias dessa série no mundo todo. Antes disso, ela trabalhou com o inventor do *audiobook* para crianças e ajudou a desenvolver e vender essa empresa. Ela tem muita experiência editorial e também atribui a *Quem pensa enriquece* a inspiração para a maior parte de seu sucesso. Agora que estou pensando nisso, recentemente ela também foi indicada pelo presidente dos Estados Unidos para o seu Conselho Consultivo de Educação Financeira.

— Caramba! Isso é incrível. Acabei de conhecer John Hope

Bryant. Ele é vice-presidente desse conselho. Que mundo pequeno. Vou ligar para ela agora mesmo.

— Não existem acidentes, Greg. Sharon e John Bryant são bons amigos, e os dois são comprometidos com o aumento da educação financeira no mundo todo. Mesmo que não possa trabalhar com você agora, ela certamente vai ter alguma boa orientação sobre o que deve fazer.

Greg riu consigo mesmo. De novo essa palavra, "orientação". Talvez essa fosse a resposta de que precisava. Como "fé" e "aderência". Palavras que servem de base para a vida, como alguém disse...

A conversa por telefone foi muito tranquila. Aparentemente, Sharon podia oferecer exatamente o que era necessário ao livro. Ela entendeu a situação e pediu para Greg mandar o manuscrito. Depois disse:

— Não se preocupe, Greg, só continue trabalhando. Don acredita muito em você. Não desista.

Depois de alguns dias tensos, Greg ligou para ela para saber sua opinião sobre o livro.

— Para começar, acho que você tem uma mina de ouro aqui — ela disse. E acrescentou: — E o duplo sentido é intencional. Tem um bom material e uma excelente visão do que quer realizar. Tem excelentes histórias com maravilhosos conselhos. Precisa pensar no leitor. Quando estiver escrevendo, aja como se estivesse conversando com o leitor. Isso ajuda a história a fluir melhor. Também acho que precisamos ancorar mais o livro na sabedoria original de Napoleon Hill. Essas grandes histórias de sucesso que ouviu de líderes atuais compartilham muitos dos princípios de sucesso descritos originalmente em *Quem pensa enriquece*. E essas pessoas são, na maioria, do mesmo grupo, a mesma demografia. Precisamos misturar isso um pouco e dar um tom mais suave, além de incluir mais diversidade, para que o público possa *sentir* o livro, não só ler.

Os comentários e as conexões de Sharon começaram a fluir rapidamente. Ela criou um plano de ação que ajudaria Greg a levar o projeto de volta aos trilhos, oferecendo sua ajuda generosamente. Então, Greg perguntou se ela estaria disposta a trabalhar com ele na conclusão do livro.

Sharon aceitou participar e renovar o livro sem nenhuma hesitação.

— A intenção é levar esses empreendedores e líderes ao coração dos leitores. Tenho muito respeito por eles. São todos focados em suas missões. Eles colocam seus clientes e consumidores em primeiro lugar, e não deixam que o ego atrapalhe. São pessoas de verdade, com opiniões sinceras. Os leitores vão se identificar com sua sabedoria e suas disponibilidades para contar como lidaram com os tempos difíceis no caminho que trilharam para o sucesso.

Sharon começou do início e reescreveu todo o projeto, e o livro dobrou de tamanho. Enquanto se dedicava ao novo manuscrito, Greg conseguia *sentir* o impacto das mudanças promovidas por ela. Era como se os colaboradores ganhassem vida ao dividir sua sabedoria.

E tinha o lado feminino.

— Greg, precisamos entrevistar mais mulheres — ela apontou. — A geração atual criou muitas mulheres bem-sucedidas, líderes e pioneiras. Elas enfrentaram desafios que, provavelmente, foram semelhantes àqueles encontrados pelas pessoas que já entrevistamos, mas as mulheres teriam uma perspectiva diferente, uma abordagem única desses desafios. Vale a pena incluir essa diferença de perspectiva. Sendo assim, chegou a hora de você conhecer mais um ícone do mundo dos negócios — ela anunciou com tom sarcástico e bem-humorado. — E sim, é uma mulher.

E lá foi Greg para mais uma entrevista.

Ele passou a maior parte do voo para o Tennessee pesquisando para a reunião iminente. Ao lado dele viajava um homem de boa aparência, cabelos escuros e óculos de sol. Devia ser um astro do cinema, ou alguma coisa assim.

Uma coisa era certa: não importava onde estava ou o que estava fazendo, se visse alguém interessado nele, não deixava de se apresentar.

— Ou, meu nome é Greg — ele disse, e estendeu a mão torcendo por uma conexão com Hollywood.

— Mike Laine — respondeu o homem.

Em trinta minutos de voo, Greg já sabia que Mike não tinha nada a ver com Hollywood, mas sua história daria uma novela.

Ele pegaria uma conexão para a Europa para participar de um programa internacional de treinamento espacial. O aspirante a autor gostou de saber que seu novo conhecido era a única pessoa da história a ser aceita no programa sem um diploma universitário. Isso porque estava no meio da construção de uma coisa chamada elevador espacial.

— O que é elevador espacial? — Greg perguntou, tentando entender que aparência poderia ter algo assim.

Mike explicou de um jeito que tinha sido bem ensaiado para as inúmeras entrevistas que já havia dado para a televisão e revistas.

— Imagine que você passa um barbante em volta da cabeça com uma bola presa a uma das extremidades. O barbante fica bem esticado, certo?

Greg assentiu.

— O plano do elevador funciona do mesmo jeito. A ideia é construir uma estação flutuante na parte mais calma do oceano. De lá, vamos lançar um foguete a milhares de milhas no espaço. Quando ele estiver em órbita, lançamos um longo cabo feito de nanotubos. Esses tubos são superfinos e leves, mas mais fortes que aço. Deixamos a gravidade puxar o cabo para a Terra.

Outros no avião começaram a ouvir a conversa enquanto Mike continuava seu relato. Criar minisseminários em aviões estava se tornando um hábito de que Greg começava a gostar... e os outros passageiros também, pelo jeito.

— Quando o cabo é conectado à plataforma flutuante, age como uma âncora para ele mesmo (mais ou menos como a bola na ponta do barbante). Então, prendemos uma espécie de carrinho à faixa de nanotubos e usamos um sistema a *laser* para guiá-lo para o espaço... daí o nome elevador espacial.

Greg olhou em volta e ficou satisfeito por ver que não era o único com cara de admiração.

— Isso é incrível — disse, querendo saber mais. — Preciso perguntar... o que o mundo pensa da sua ideia?

— Resumindo, o mundo acha que eu sou maluco.

Todos que estavam ouvindo riram do comentário.

— E você é? — Greg quis saber.

— De jeito nenhum. Sei que esse é o próximo passo científico. O conceito por trás disso é que, quando o cabo estiver no lugar, vamos poder lançar coletores solares de um jeito simples e barato para levar energia alternativa à população em geral. Isso levaria energia a quem não poderia tê-la de outra forma.

Lá estava, de novo, a mesma mensagem ouvida tantas vezes antes. Quando Greg perguntou sobre sua certeza sobre o projeto, Mike deu uma resposta que o acompanharia por anos.

Greg fazia questão de aprender as estratégias de pessoas bem-sucedidas para manter a própria chama acesa, quando o mundo queria apagá-la.

— Quero saber — Mike retrucou com expressão estoica —, se você soubesse que tem a cura do câncer, o que o faria desistir de fazer acontecer? Não é o que o faria seguir em frente, nem o que o motivaria, mas o que o faria parar, se tivesse certeza absoluta de que poderia mudar o mundo?

Greg respondeu com absoluta sinceridade:

— Nada.

E anotou no bloco a primeira pergunta para ele mesmo:

*O que você sabe?*

Mike concluiu seu pensamento.

— É assim que me sinto, nada vai me fazer desistir de realizar esse sonho. Podem surgir obstáculos, pode haver contratempos e atrasos, mas nada vai importar, eu dou minha vida por isso.

Quando o avião pousou, os dois trocaram contatos, e Greg foi para sua reunião seguinte.

Quando viajam ao Tennessee, muitas pessoas podem ter lembranças de Dollywood, Graceland ou do Grand Ol' Opry. Para Greg, a viagem tinha uma perspectiva completamente diferente, que deixaria uma marca indelével em como ele veria o sucesso daquele dia em diante. Ao aproximar-se do hotel Nashville, ele se arrepiou ao sentir o vento frio de inverno tocar-lhe rosto. Não era o sol da Califórnia com que estava acostumado, pensou, vendo a própria respiração formar nuvens brancas diante da boca.

Ele a reconheceu antes que ela se apresentasse. Era Debbi Fields, mais conhecida por ter criado o império Mrs. Fields, de *cookies*.

— Obrigado por aceitar me encontrar — disse Greg. — É um grande prazer. — O comentário podia soar infantil, mas era porque seu *cookie* favorito de gotas de chocolate voltava à lembrança.

— O prazer é todo meu. É uma honra fazer parte de qualquer coisa relacionada à Fundação Napoleon Hill — ela respondeu com entusiasmo.

Sentado no restaurante do hotel, Greg começou a entrevista imediatamente, pedindo a ela para contar como havia começado sua franquia.

— Quando eu era jovem, tinha só quatorze anos, na verdade, havia uma regra em casa. Tínhamos que comer *tudo* o que havia no prato. Certa noite, havia alguma coisa que eu simplesmente me recusava a comer. Lembro-me de ter ficado ali sentada até meia-noite, com minha mãe cada vez mais furiosa comigo.

— E o que você fez?

— Continuei ali sentada — ela respondeu, bebendo um gole de água antes de concluir. — Finalmente, minha mãe desistiu, e eu fui para a cama.

— Ótima história, mas o que tem a ver com seu império de *cookies*?

— Tudo! Daquele dia em diante, comecei a preparar minhas refeições. E, embora só tivéssemos ingredientes, digamos, "baratos" para usar, descobri que adorava confeitaria. Quando ganhei meu primeiro dinheiro como babá, em vez de gastar ou ir ao cinema, como a maioria dos jovens fazia, usei para comprar os melhores ingredientes que encontrei, como chocolate Nestlé em barras, a melhor farinha de trigo, e assim por diante, e fui para casa e fiz minha primeira fornada de biscoitos.

— Agora vou ter que contar ao nosso amigo Ron Glosser, da Hershey, que você o traiu — Greg brincou. — Sua família gostou dos biscoitos?

— A família? Todo mundo adorou. Aliás, Ron é um homem adorável; eu o conheci no ano passado em uma reunião de negócios. — Ela continuou: — Daquele dia em diante, aquilo virou uma febre, e decidi que um dia eu seria profissional. Além disso, também prometi a mim mesma usar só os melhores ingredientes e nunca me contentar com menos que... perfeição.

Greg sabia que a sabedoria estava chegando, por isso pegou a caneta e se preparou para anotar o pensamento seguinte.

— Construí toda a marca Mrs. Fields com uma filosofia simples...

*Bom o bastante – nunca é.*

— É uma excelente maneira de ver as coisas — Greg comentou. — Não sei nem quantas vezes tentei fazer as coisas pela metade, e, agora que penso nisso, em nenhuma delas deu certo.

Debbi Fields só levantou as mãos e deu de ombros com cara de "estou falando...".

— Nossos padrões são tão elevados que até as imperfeições são consideradas excelentes.

— Quantos anos tinha quando abriu a primeira loja?

— Acredite ou não, apenas vinte. Era casada e muito inquieta. Mas sabia que tinha grandes chances.

— Como sua mãe reagiu? Ficou orgulhosa?

— Bem, agora que penso nisso tudo, posso afirmar com certeza que o crédito do meu sucesso é dela.

— Ela a apoiou tanto assim?

— Pelo contrário. Ela me disse que não iria dar certo, que administrar um negócio era muito difícil e que eu desistiria e nunca teria sucesso com isso.

Greg arregalou os olhos com a resposta inesperada. Debbi continuou:

— Usei as dúvidas dela como meus catalisadores. Sua voz ecoava em meus ouvidos como um lembrete constante para ir em frente. Hoje sei que ela me fez um tremendo favor.

— Boa maneira de ver a situação — Greg opinou, ainda surpreso com a resposta. Ele se lembrou de uma das lições de Napoleon Hill. A Sra. Fields havia transformado a adversidade, a falta de fé da mãe dela, em uma vantagem.

— Melhor que a alternativa, sem dúvida — ela respondeu. — Quando você sabe que está fazendo algo que ama, *nunca* deve deixar outra pessoa atrapalhar.

Greg percebeu que, naquela frase curta, ela resumia por que tanta gente fracassava. Não era por terem objetivos elevados demais ou por não terem ambição para alcançar o sucesso. Era porque permitiam que outras pessoas impusessem limites para elas. Greg lembrou-se de anotar no bloco:

*Nunca deixe outra pessoa atrapalhar.*
*Transforme adversidade em vantagem – transforme as dúvidas alheias em seus catalisadores.*

— Para mim — ela disse —, a falta de confiança de minha mãe foi toda a inspiração de que eu precisava. Daquele dia em diante, prometi a mim mesma dar 100% até realizar meu sonho, lembrar que bom o bastante...

Greg terminou a frase.

— Nunca é. — E ele perguntou: — Aliás, por que escolheu o nome Mrs. Fields? Sobretudo porque, quando abriu a primeira loja, você tinha só vinte anos.

— Eu acreditava no que estava fazendo e queria que as pessoas soubessem que era eu por trás do meu produto. Se você tem alguma coisa que vale a pena, ponha seu nome nela.

Mais de uma hora tinha passado sem que eles percebessem. Ela contou várias histórias sobre as dificuldades que havia enfrentado enquanto avançava em direção a seus objetivos.

Fields disse que, para ela, a vida era como andar sobre areia movediça. É preciso estar em movimento sempre, ou você afunda. Estar sempre pronto para mudar de direção de uma hora para outra, e nunca ceder ao medo do que *poderia* acontecer. Você só precisa se manter em movimento.

Greg pensou: "Quantas vezes desisti ao primeiro sinal de dificuldade? Quantas vezes deixei outras pessoas esmagarem meus sonhos? Chega", ele decidiu, olhando para a mulher determinada. Não deixaria mais que as dúvidas de outras pessoas o paralisassem. Em vez disso, prometeu a si mesmo, transformaria essas dúvidas em inspiração, um catalisador; transformaria a adversidade em vantagem.

Debbie Fields havia entendido que, para obter mais da vida, era preciso *fazer* mais. Sua história de desafio e sucesso era como um mapa para a realização, e ela o explicava do jeito mais colorido. Greg compreendeu melhor por que Sharon quisera incluir a perspectiva feminina no livro

Era óbvio que, o que quer que as pessoas enfrentassem ou que linha de negócios escolhessem, todas tinham basicamente a mesma história, apenas contada de maneiras diferentes, a partir de perspectivas diferentes, e com diferentes desafios emocionais. Debbi fez Greg lembrar-se de um entrevistado anterior, Evander Holyfield, que havia dito: "Estabeleça os padrões mais elevados".

Não havia caronas nem passos simples. Sucesso, Greg descobria, tem a ver com visão, com se dispor a ir na direção dele e não desistir quando você sabe que está no caminho da sua vida.

Algumas pessoas recebem incentivo, outras recebem o oposto, e cabe a cada uma decidir o que vale a pena ouvir.

Do hotel perto do aeroporto, ele ligou para David. Ultimamente, não tinha expectativas, nem boas, nem más, nem indiferentes, mas havia decidido que procuraria o irmão sempre e estaria ao lado dele, não importasse o que acontecesse.

— Ainda contando os dias, mano — David falou. — Estou sóbrio há duas semanas; de novo, um dia de cada vez.

— Está fazendo o que tem que fazer?

— Sim. Não tomar o primeiro gole é o principal. A cada dia que não bebo, sou uma história de sucesso.

Greg sorriu.

— Um dia de sucesso. Gosto disso. Vou adotar um dia de sucesso!

Quando você invoca sua mente subconsciente, deve se comportar como se já estivesse de posse da coisa material que está exigindo.

— NAPOLEON HILL

CAPÍTULO DEZESSEIS

# A coragem para mudar

Não há nada parecido com a recepção que se tem em um seminário motivacional. Dá para sentir, literalmente, a energia que vibra nos corredores.

— Olá! — um homem cumprimentou.

— Seja bem-vindo, meu amigo! — outro gritou.

Greg se sentia um pouco incomodado com toda aquela gente entusiasmada em volta dele, principalmente considerando que, nos últimos tempos, se sentia um pouco rejeitado. Sem dúvida, se sentia deslocado.

— É um prazer recebê-lo — disse um desconhecido com um tom cuja energia se comparava à de Richard Simmons em seus melhores momentos, e, embora essas pessoas fossem animadas demais, para dizer o mínimo, Greg também sentia a sinceridade delas.

— Oi — Greg respondeu. — Parece que encontrei o lugar certo. — Ele usava um adesivo na camisa com a frase: "Oi, eu sou o Greg".

— Se está procurando um grupo de pessoas felizes, positivas e em busca de soluções, sim, com certeza — respondeu o homem.

— Estou procurando o palestrante principal — disse o jovem autor. — Frank Maguire, um dos fundadores da Federal Express original. Sabe onde o encontro?

— Por aqui. — O homem o levou a uma sala de reuniões. — Ele é o último no programa. Todo mundo está animado para ouvir sua história.

— Eu também — respondeu Greg.

Assim que passou pela porta, ele soube quem era Maguire. Havia um grupo de pessoas em volta dele pedindo fotos e autógrafos, fazendo perguntas e mais perguntas.

Em vez de se adiantar e tomar a dianteira do grupo, como teria feito de acordo com seu estilo anterior, Greg sentou-se e esperou em silêncio para ser o último, e assim ter um momento de privacidade com Maguire. Essa era a primeira vez que ele tentava conseguir uma entrevista sem a ajuda dos mentores. Queria ver se as pessoas o recebiam com a mesma abertura quando não era apresentado. Encontraria os mesmos denominadores comuns?

Enquanto esperava sua vez, sentiu uma calma que ainda era novidade para ele, uma sensação de que, embora houvesse ainda muitas perguntas a serem respondidas e muitas montanhas para subir, estava no caminho certo.

— Sr. Maguire? — ele disse ao se aproximar do convidado de honra com a mão estendida. — Meu nome é Greg. É um prazer conhecê-lo, senhor.

— O prazer é meu — Frank Maguire respondeu com simpatia sincera. — Já nos vimos antes?

— Sim, já... acabamos de trocar um aperto de mãos — brincou o rapaz.

— Ha! — O orador riu. — Essa é boa. Como posso ajudá-lo?

Uau! De novo isso: outro líder oferecendo ajuda, e esse não era nem sequer um dos amigos de Buckland. Como era possível que todas essas pessoas perguntassem a mesma coisa?

— Queria alguns minutos do seu tempo. Já ouviu falar em um livro chamado *Quem pensa enriquece*?

— Está brincando? — Maguire reagiu. — Esse livro mudou minha vida.

— Bem, estou trabalhando em um novo projeto, com a ajuda de uma mulher chamada Sharon Lechter e da Fundação Napoleon Hill, e gostaria de saber...

— Está trabalhando com Don Green? — Maguire o interrompeu.

— Conhece o Don?

— Um grande homem e uma grande organização — respondeu Frank. — Como posso ajudar?

Pelo jeito, ele fazia parte do mesmo círculo. Por isso tinha a mesma atitude que os outros. Não era espantoso que todos os entrevistados de Greg se associassem com pessoas do mesmo calibre? Não havia como negar, e agora Greg se orgulhava de saber que, quando procurava alguém que desejava conhecer, essa pessoa era alguém que também conhecia seus mentores.

— Pode me contar sua história?

Frank respirou fundo e disse:

— Meu nome é Francis Xavier Maguire.

— Qualquer um pode pesquisar na internet e encontrar suas realizações, mas o que quero saber é: que tipo de desafios enfrentou?

— Desafios nunca faltaram. A vida é um grande desafio. Ou, posto de outra forma, a vida é uma grande oportunidade de superar desafios.

— Esse sempre foi seu jeito de ver as coisas, ou é algo que aprendeu? — perguntou Greg.

— Não, quando eu era uma criança magricela, era eu quem sempre ficava de fora de tudo. Um dia, decidi que não queria mais esse papel e entrei no jogo. Em seguida, decidi que, se ia jogar o jogo da vida, ia jogar para valer, e comecei a me defender e revidar.

— Então, você é fã de *Quem pensa enriquece*?

— Ah, fala sério! Hill foi o criador de tudo que ouvimos, vemos e lemos hoje sobre desenvolvimento pessoal. O homem era um gênio. Meu capítulo favorito é sobre o minerador de ouro que desistiu pouco antes de encontrar o tesouro.

Greg não se surpreendia mais com o fato de que a história que se tornava a força motriz de sua vida também tinha afetado outras pessoas de forma tão poderosa.

Maguire continuou:

— Todo mundo que conheci e alcançou alguma forma de grandiosidade nunca desistiu diante de desafios. Quando começamos a Federal Express, disseram que nunca teríamos sucesso, mas não desistimos. Quando o Coronel Sanders foi informado de que nunca poderia vender frango no formato fast-food, ele não deu ouvidos e não desistiu. E quando eu trabalhei para Jack Kennedy na década de 1960, ninguém pensou que ele seria indicado à presidência, mas ele nunca desistiu.

Outras pessoas que estavam por ali começaram a formar um círculo em volta do palestrante, que continuou manifestando seus pensamentos.

— Em todos os casos em que estive pessoalmente envolvido com e em todas as histórias que li, as pessoas que alcançaram grandiosidade são as pessoas que...

Sentindo que ouviria um fragmento de sabedoria, Greg abriu o bloco e escreveu:

*Recusam-se a desistir.*

— Mas isso só vale quando você está seguindo o objetivo de sua vida, não acha? Quero dizer, se está fazendo algo que despreza e para o que não tem vocação, não é razoável que deva começar um novo caminho, seguir em uma direção diferente? — Greg perguntou.

— Bom argumento — reconheceu o palestrante. — E absolutamente verdadeiro. É como Napoleon Hill descreveu em seu livro. Antes de qualquer uma dessas sugestões funcionar, você precisa encontrar seu objetivo principal específico, seu destino. Então, quando o tiver, nunca perca o foco nesse destino. Lembre-se disto: se você pode sonhar, pode fazer. Quando sabe qual é o seu destino, o fracasso se torna impossível.

Greg pensou em cada palavra dessa mensagem tão poderosa.

Maguire continuou falando.

— Em outras palavras, sua mente não vai permitir que você pense em algo que não pode realizar, e assim, quando põe essa imagem na sua imaginação, seja ela vender frango em uma caixinha de papelão, seja entregar encomendas no meio da noite ou ser indicado à presidência dos Estados Unidos, se você é capaz de sonhar, isso já é uma realidade que só está esperando você chegar lá.

Greg anotou a mensagem dada pelo palestrante.

*Um sonho é uma realidade esperando você chegar lá.*

— Desde o início, como foi trabalhar com Fred Smith na fundação da FedEx?

— Ele é um filósofo maravilhoso. Em 1973 teve uma visão de que a Federal Express daria a volta ao mundo, fornecendo um serviço que ninguém mais era capaz de prestar. E embora os investidores e seus associados mais próximos dissessem que aquilo era loucura, ele nunca desistiu. Sempre soube como jogar grande, até que, é claro, decidiu encontrar um jeito de jogar ainda maior.

— Como se envolveu com ele?

— Depois que saí do KFC, Fred viu um artigo sobre mim na *Business Weekly* e me procurou. Disse que queria conversar comigo. Fui encontrá-lo em um Holiday Inn, e ele tinha um guardanapo com um logotipo e uma inscrição. Perguntei: "Fred, quero saber uma coisa. Quero entender o que está dizendo. Quer transportar encomendas pelo país no meio da noite e trazê-las aqui para Memphis?". Ele respondeu: "Isso, é isso mesmo". Meio preocupado, repliquei: "Foi o que pensei ter ouvido. E depois quer separá-las e despachá-las novamente na manhã seguinte, antes do amanhecer?". Ele confirmou: "Exatamente". E eu disse: "Fred, essa é a ideia mais idiota que já ouvi". E ele retrucou: "Mais idiota do que vender frango em uma caixinha de papelão?".

Greg riu.

— Isso é incrível. Ele falou isso mesmo? Há quanto tempo a FedEx existia quando você chegou?

— Não existia. Eu fui um dos primeiros.

— Então, é um cofundador?

Maguire ficou imediatamente sério e disse:

— Não, não existe nenhum cofundador. Fred é o único fundador. Assim como no KFC, a menos que você seja o cara de roupinha branca, não é um fundador.

— O que diria para as pessoas que se sentem solitárias em sua busca? O que sugere como inspiração para que elas continuem em frente depois de descobrirem qual é seu objetivo?

— O maior erro que uma pessoa pode cometer é pensar que é a única que já passou por essa experiência. A verdade é que todos compartilhamos essas experiências. Todos nós amamos nossos filhos, mas enfrentamos as mesmas dificuldades para criá-los. Todos nós temos negócios que passam por ciclos.

— Pode me dar um exemplo de seguir o fluxo quando os desafios aparecem?

Maguire se inclinou na direção de Greg e deu sua última mensagem:

— Usando o exemplo da FedEx, 50% da nossa renda era proveniente de documentos, e os outros 50% vinham de pacotes. Um dia, vimos no jornal a notícia de uma novidade chamada máquina de fax. Percebemos que metade da nossa renda estava indo embora, e podíamos ter desistido ali. Sabe? É isso, estamos acabados. Mas não o Fred... ele chutou os pneus, deu asas à criatividade e fez uma empresa melhor diante desse importante obstáculo que surgia em nosso caminho. Fizemos isso muitas vezes.

Sem nenhum incentivo, o grupo que se havia reunido em torno deles aplaudiu, e Maguire se levantou para despedir-se do jovem autor.

Antes que ele pudesse ir embora, Maguire passou um braço em torno dos ombros de Greg e sussurrou em seu ouvido:

— Tem ouro a menos de três passos de onde você está agora, portanto, fique longe da autopiedade, pare de bancar a vítima e tudo isso que pode estar fazendo... e continue cavando. É sua vez!

Força de vontade e desejo, quando corretamente combinados, fazem uma dupla irresistível."

— NAPOLEON HILL

CAPÍTULO DEZESSETE

# Não desista

Greg andava pelo corredor com a cabeça novamente cheia de pensamentos. Enquanto guardava o bloco de anotações, ele literalmente tropeçou em um homem do lado de fora, derrubando um pouco do café do desconhecido.

— Desculpe — pediu o desconhecido assustado, com um tom bem-humorado, como se o acidente não o abalasse. — A culpa foi minha, eu devia estar prestando atenção. Está gostando do evento?

Greg sorriu e respondeu:

— Na verdade, não vou ficar. Só vim falar com o palestrante principal antes de ele subir ao palco.

— Deveria ficar. O próximo palestrante também é muito bom. Ele fala sobre o poder da venda direta — o homem comentou, ajeitando a gravata depois da colisão. — Tem um programa baseado em "conquistar sucesso ajudando outras pessoas a realizarem seus sonhos".

— Isso é ótimo, mas não tem a ver comigo. Não gosto desses esquemas de marketing multinível.

— Entendi. Eu pensava a mesma coisa, até conhecer o grupo certo e me envolver nisso. Esse negócio mudou minha vida completamente.

— Sério? — Greg perguntou.

— Sim, totalmente. É claro, venda direta e marketing de rede podem não ser para todo mundo. Mas compõem uma força motriz muito positiva no nosso país e no mundo. O que acha que é mais proveitoso, divulgar alguma coisa na televisão, ou ouvir alguém que você conhece e em quem confia recomendar um produto ou serviço?

— Acho que um amigo, naturalmente.

— Então, é isso... fácil assim. Imagine ganhar dinheiro cada vez que recomenda um livro, um filme ou qualquer outra coisa de que goste.

— Eu seria milionário — riu Greg.

— Muitas pessoas nessas organizações são. Tornaram-se bem-sucedidas simplesmente ajudando outras pessoas a alcançarem o que é importante para elas. Foram compensadas por divulgar seu entusiasmo por um produto ou serviço. E quando o indivíduo para quem falaram disso compartilha a recomendação com mais alguém, elas recebem a compensação novamente por serem o catalisador que começou o movimento. É o que chamam de renda residual: compartilhar uma coisa uma vez e depois receber por isso de novo e de novo. O bônus é que você tem um mentor, aquele que o levou ao negócio, e tem a oportunidade de passar isso adiante, tornando-se o mentor das pessoas que você leva para o negócio.

— Hum — Greg respondeu enquanto pensava no que acabava de ouvir.

— Para mim — continuou o estranho —, agora que encontrei a empresa perfeita, na qual posso confiar e que apoia minha caminhada em direção ao sucesso, todo o meu mundo mudou.

Greg o encarou com cara de dúvida.

— Não, é sério — o homem insistiu. — A mudança positiva em minha vida é espantosa. É difícil imaginar que ganho muito bem ajudando outras pessoas a ganhar bem. A melhor parte, porém, é a sensação de estar fazendo alguma diferença. Enquanto muita gente por aí só se concentra no próprio proveito, minha empresa faz questão de aplicar a filosofia de Zig Ziglar: "Para conseguir o que quer, ajude antes outras pessoas a conseguirem o que querem".

Com uma resposta sincera, Greg agradeceu ao desconhecido pelo esclarecimento, e eles se despediram com um aperto de mãos. Não esperava por isto: pela primeira vez, via a indústria da venda direta de um ponto de vista diferente. A cabeça, como sempre, estava a mil.

Era engraçado, na verdade, porque estava tentando fazer a mesma coisa, mas em outro meio. Escrever um livro, receber por dividi-lo com outras pessoas e, depois, quando estas divulgassem o livro para outras pessoas, ser compensado novamente pelas vendas adicionais do livro.

— Que excelente maneira de fazer negócios — ele cochichou ao entrar em outro táxi a caminho do compromisso seguinte.

Pensando em ajudar outras pessoas, ele se lembrou automaticamente de David. Com o celular colado à orelha, Greg ficou satisfeito quando David atendeu no segundo toque.

— E aí, mano?

— Mais um dia. Um bom dia para estar sóbrio. Um bom dia para estar vivo. E você?

Greg ainda não conseguia lidar muito bem com a mudança de David. Na infância, o irmão adotivo era quem promovia jogos e desafios, o primeiro a convidar uma menina para sair, o primeiro a se juntar à equipe de debate, o que tinha as notas mais altas em todas as matérias... um líder, não um seguidor.

Durante os últimos anos, ele parecia ter se apagado por causa da dependência do álcool. No começo, a dependência era sutil, depois se tornara mais aberta, até que se transformou no fator que definia sua vida. Greg passou a odiar o que o álcool fazia com David, e depois passou a desprezar David por permitir que aquilo dominasse sua vida.

Agora, até o tom de voz do outro lado da linha desde que David tivera alta da clínica de reabilitação e trabalhava para se manter sóbrio desde a recaída... era tão diferente, que parecia um milagre. Greg se pegou fazendo uma prece silenciosa de gratidão por esse inacreditável fenômeno.

David contou a ele sobre as pessoas que encontrava na recuperação, outros alcoólicos e dependentes como ele, que haviam encontrado outro jeito de viver, que estavam decididos a não permitir que aquela segunda chance, ou, em alguns casos, terceira ou quarta, escapasse por entre os dedos.

Recentemente, Greg e David falavam mais entre eles em alguns minutos do que em anos sem abordar o problema que se havia interposto entre eles. Os dois sabiam que a estrada ainda teria muitos obstáculos, mas David agora tinha novas habilidades e novos amigos para ajudá-lo a fazer escolhas melhores pelo caminho.

— Tenho que correr para uma reunião — David anunciou com entusiasmo sincero. — Eu chego cedo para ajudar a arrumar as cadeiras. Alguém me disse que essas coisas simples fazem toda a diferença. Afinal, alguém tinha deixado uma cadeira para mim quando cheguei, na primeira reunião. Não aconteceu do nada!

— Não, não foi do nada, Dave — Greg concordou. Se o irmão pudesse ver o sorriso que iluminava seu rosto agora, no banco de trás daquele táxi!

Todos os pensamentos em
que se colocou emoção e
que foram misturados a fé
começam imediatamente a se
traduzir em seu equivalente
físico ou sua contraparte.

— NAPOLEON HILL

CAPÍTULO DEZOITO

# A coragem para ser bem-sucedido

Depois do que poderia ter sido a viagem de táxi mais curta de sua carreira, apenas oito quarteirões, ele chegou ao pequeno hotel perto do aeroporto em Atlanta, Geórgia, onde encontraria o novo entrevistado antes de voltar para casa.

Quando estava descendo do táxi, o celular tocou.

— Sou eu — disse uma voz feminina animada. — Estou no saguão esperando.

Imediatamente, ele sentiu que esse seria um encontro especial. Nunca havia falado com essa pessoa antes, e ela já estava dizendo "sou eu"...

Genevieve Bos era criadora e fundadora de uma revista chamada *Pink*, que era desenvolvida por mulheres líderes. Enquanto boa parte das publicações de negócios tratava dos assuntos de uma perspectiva primariamente masculina, ela queria romper com esse padrão e fornecer uma nova voz à geração atual de mulheres.

Quando foi recebido no saguão, Greg apertou a mão dela e disse:

— Oi, Genevieve, obrigado por me receber.

— Imagina, eu não perderia isso por nada — ela respondeu. — Na verdade, de todas as entrevistas de que participei em anos, esta é a que mais me empolgou. Li *Quem pensa enriquece* quando tinha apenas dezesseis anos, e aquilo mudou minha vida. Se está trabalhando nisso com a Fundação Napoleon Hill, é claro que preciso participar.

— Sim, e minha coautora é sua fã. Na verdade, ela já escreveu para sua revista. Sharon Lechter.

— Excelente, eu queria conhecer Sharon! — ela exclamou, e falou tão alto que Greg teve que olhar em volta para ver se mais alguém a ouvia. — O trabalho dela com a série Pai Rico foi incrível. Além disso, seus novos projetos, Pay Your Family First (Pague sua família primeiro) e YOUTHpreneur (JOVEMpreendedor), vão ajudar realmente as pessoas a olhar de outra maneira para suas finanças.

— Vou ligar para ela — Greg anunciou, pegando o celular sempre à mão e acionando a discagem rápida e o viva-voz. — Sharon, sou eu. Estou aqui com alguém que acho que você deveria conhecer.

Sabendo que ele iria encontrar Bos, Sharon respondeu imediatamente:

— Genevieve, é um prazer falar com você, mesmo que só por telefone.

O que foi apenas uma conversa de uns sete minutos pareceu uma eternidade para Greg, que as ouvia falando como amigas de colégio sobre o ensaio das líderes de torcida. Ele segurava o telefone, e sentiu o braço cansado da posição distendida.

— Ei, também estou aqui... lembram? — disse, interrompendo a discussão sobre a importância de incluir educação financeira nas escolas.

— Desculpa — Sharon pediu. — Vamos direto ao ponto, então. Genevieve, por favor, conte para nós, como você começou?

— Minhas aulas começaram cedo. Foi no tempo da indústria de *software*. Eu trabalhava para uma pequena *startup*, como muita gente naquela época. E, como muitos novos empreendimentos, precisávamos de capital. Enquanto muita gente fazia qualquer coisa e tudo para ganhar um dinheiro, eu tive meu primeiro momento "arrá!" olhando para as coisas de um ângulo diferente.

Sharon perguntou pelo alto-falante do celular:

— Como assim?

— Todas as outras empresas reduziam seus preços oferecendo descontos para tentar superar a concorrência. Todas competiam na mesma caixa de areia, digamos assim, reduzindo lucros para aumentar as vendas no mesmo grupo de consumidores. É óbvio que as margens ficavam cada vez menores.

— E o que mais se podia fazer? — perguntou Greg.

— Eu decidi olhar além do meu quintal. Sabe, ninguém vendia nosso produto no mercado externo. Então, eu passava todo o meu tempo procurando revendas que comprassem os direitos para comercializar nossos produtos em outros países. Isso foi ótimo. Enquanto os outros reduziam lucros, ou, pior ainda, vendiam suas empresas para investidores, nós vendemos os direitos, não a companhia. Isso nos deu a vantagem necessária para continuar crescendo e, ao mesmo tempo, conquistar o mercado mundial. Quando os outros entenderam o que estávamos fazendo, já era tarde demais. Tínhamos dominado a área.

— Isso é incrível — disse Sharon. — Quero fazer outra pergunta. Esse projeto em que estamos trabalhando tem tudo a ver com superar desafios. Como dominou seus medos na busca pelo sucesso?

— Ótima questão — Bos respondeu. — Sempre fiz uma pergunta simples... bom, duas, na verdade. Qual é o pior resultado possível disso? E posso lidar com esse cenário de pior possibilidade? Se a resposta for suportável, sigo em frente.

Greg sorria de orelha a orelha, como qualquer um podia ver. Ele pegou o bloco e anotou o que Bos tinha acabado de dizer.

*O que pode acontecer de pior?*
*Pode lidar com isso?*
*Se a resposta for sim, vá em frente!*

Deixando as anotações de lado, ele perguntou:

— De onde veio a ideia da revista *Pink*?

Bos fez uma pausa e uma cara pensativa antes de responder:

— A mídia tem muito poder, tanto positivo quanto, bem, nem tanto. Tive a impressão de que a maioria das revistas voltadas para o público feminino era o que se costuma chamar de "porcaria". Sabe? Todas cheias de fofocas e boatos. Eu queria ultrapassar essa imagem e quebrar o espelho.

— Espelho? — repetiu a voz de Sharon pelo celular.

— Sim, uma vez, um dos meus mentores disse que todos nós carregamos os próprios espelhos. O mundo nos vê como nós mesmas nos vemos nesses reflexos. Eu queria destruir a imagem que retratava as mulheres na vida real. Do ponto de vista da imprensa escrita, era como se nossa capacidade de compreensão se limitasse a moda e saber o que o filho de uma celebridade tinha comido na creche. Isso é ridículo. Eu pensei: "Por que as revistas mais incríveis na prateleira só falam de trair o marido e de que cor vai ser tendência no outono?".

— Isso significa que não devo perguntar o que acha da minha camisa nova? — Greg perguntou.

— É bonita — Bos respondeu sem perder o ritmo. — Esse é o ponto. As mulheres têm capacidade para ser mais que secretárias e recepcionistas. Eu queria mostrar que elas podem ter o pacote completo: um lado feminino, mas uma força a se respeitar no mercado de trabalho. Não temos que perder a energia feminina a fim de competir com os rapazes.

— Vamos voltar aos desafios — Greg pediu, percebendo que Bos podia oferecer mais do que ele esperava. — Enfrentou dificuldades na sua escalada para o topo?

— É claro! Todos enfrentam — ela declarou com tom objetivo. Greg sentiu que ouviria mais um fragmento de sabedoria e pegou o bloco de anotações. — O segredo é...

*Nunca deixe os erros definirem quem você é.*

— Todos enfrentamos contratempos e obstáculos no caminho. Mas, por alguma razão, as mulheres encaram essas coisas de um jeito mais pessoal que os homens. Se um homem perde US$ 20 milhões, ele diz: "Essa lição custou caro, cadê meu bônus?". Quando uma mulher perde US$ 20 milhões, tende a carregar essa perda como uma bagagem pesada.

— Então, o que temos que fazer é aprender com a lição e superá-la? — Sharon quis saber.

— Exatamente! — confirmou Bos. — Aprender e seguir em frente... com a certeza de que fez tudo que podia para acertar. Esse é o único jeito de seguir em frente. Outro livro de que gosto muito e que mudou minha vida é *The Power of Decision*, do Dr. Raymond Charles Barker. Ele diz: "Não tomar uma decisão é decidir falhar ou viver uma vida mediana".

Imediatamente, Sharon fez outra pergunta:

— Qual é o papel dos ajustes no seu mundo? Quero dizer, você modifica seu plano de jogo?

— É claro que sim. E vale para qualquer coisa na vida. Olho para a situação como se fosse um grande cubo mágico. Vou virando e torcendo até encontrar a combinação que procuro.

Grato por todas as respostas, Greg encerrou a conversa com uma última questão para Genevieve Bos, mais profunda que as anteriores.

— Que papel tem a fé em sua vida?

Dessa vez a resposta não foi rápida, não houve brincadeira ou piadinha. Não, Bos deu uma resposta que ecoou o que já havia sido dito em outras entrevistas.

— Fé é tudo. A quantidade de fé, ou a falta dela, determina a diferença entre sucesso e fracasso. É simples assim. Quando recorrer à fé, você vai descobrir a força que torna todas as coisas possíveis.

Nada acontece em sua vida que você não inspire por iniciativa própria. Visão criativa é o poder que inspira o desenvolvimento dessa iniciativa pessoal.

— NAPOLEON HILL

CAPÍTULO DEZENOVE

# Sabedoria de Rolodex

Greg ligou a televisão enquanto tomava seu café matinal e sorriu ao ver a previsão do tempo para o fim de semana: perfeito. Ser meteorologista no sul da Califórnia devia ser o trabalho mais fácil de todos em uma emissora de TV!

"Mais um lindo dia na melhor cidade dos Estados Unidos: 23 graus, sem chuva, sem nuvens, mas pode esfriar à noite."

O âncora brincou:

"Talvez você tenha que usar meias". Greg estava saindo, mas quase esqueceu o bloco de anotações e voltou para pegá-lo. Isso o fez lembrar de um antigo comercial da American Express: "Não saia de casa sem ele".

Greg se perguntou o que David estaria fazendo naquele lindo dia, que era, ele agora entendia, um presente de Deus. Se David conseguisse ficar sóbrio hoje e seguisse no caminho da recuperação depois da recaída devastadora, seria um bom dia. Como o dia seria bom para Greg se ele aprendesse uma coisa nova, desse um passo adiante em sua jornada para a sabedoria e para o sucesso.

No caminho para o aeroporto, um ritual ao qual estava se acostumando, Greg deu uma olhada nas páginas do bloco de anotações, como tinha feito tantas vezes antes. Dessa vez, no entanto, viu algo de um ângulo completamente diferente.

Enquanto lia os trechos de inspiração, ele notou uma tendência. Cada pessoa que ele conhecera tinha compartilhado uma base comum. Não fazia diferença de onde se conheciam, quem era ou o que fazia, a qualidade da sabedoria era a mesma.

Animado com a descoberta, ele mal podia esperar para contá-la a Sharon quando chegasse à Virgínia.

Os dois tinham sido convidados por Don Green para ir à sede da Fundação Napoleon Hill discutir os progressos do livro, e, embora fosse um prazer encontrá-lo pessoalmente, Greg também tinha a sensação de que era chamado à sala da diretoria. Só que, dessa vez, não estava encrencado, longe disso; na verdade, ele agora tinha excelentes notícias para dar.

— Oi, pessoal — ele disse ao entrar na sala para participar do *brainstorming*. — Preciso mostrar uma coisa para vocês.

Sharon já tinha chegado e revia alguns artigos de Napoleon Hill, quando Greg entrou. Ela olhou para ele e sorriu. Quando se sentou, ele empurrou o bloco por cima da mesa para mostrar sua descoberta.

— O que tem aí? — perguntou Greg.

— Dá uma olhada. Hoje percebi uma tendência comum a todas essas histórias de sucesso de grandes norte-americanos.

— Aposto que sei qual é — disse Green. — É o que o inspira, e o que empurra todas essas pessoas para o alto. É exatamente o que Hill costumava dizer. Eles encontraram o objetivo principal definido.

— É isso — Sharon interferiu levantando a caneta. — Todas as pessoas com quem falamos e sobre quem escrevemos tinham aquele desejo ardente de não desistir, porque estavam em uma missão que era muito maior que elas mesmas. Nunca foi sobre elas: era sobre o "porquê" dessas pessoas.

— O "porquê"? — Green perguntou.

Sharon continuou:

— Sim, ouvimos isso mil vezes. Não tem a ver com o "como", tem a ver com o "porquê". Se você tem uma razão grande o bastante para fazer alguma coisa, o "como" simplesmente aparece.

Green sorriu da revelação e se recostou na cadeira.

Greg disse:

— Foi exatamente isso que descobri olhando as anotações. Todas essas histórias têm uma mensagem em comum.

— É mais profundo do que você mencionou antes, mais profundo que apenas os Estados Unidos — acrescentou Green. — A verdade é que essa descoberta é comum ao mundo todo. — Notando a expressão no rosto de Greg, ele perguntou: — Não acredita em mim, não é?

— Bom... — Greg hesitou.

Por um momento, Sharon gostou de ver como Greg se comportava em uma situação delicada. Depois ela disse:

— Também temos que acrescentar uma perspectiva internacional nesse livro. A economia global está em turbulência, e pessoas no mundo todo querem aprender como alcançar o sucesso nesse ambiente difícil. Precisamos ser capazes de falar a todos que lutam pelo sucesso.

Como se tivesse planejado isso, Don Green estendeu a mão para a mesa dele e pegou um antiquado Rolodex, aquele objeto giratório ao qual eram anexados cartões com nomes e números de telefone, bastando girá-lo para encontrar a informação de contato procurada.

— Vamos lá — ele disse. — Vou girar isto aqui, e quero que cada um de vocês tire dois cartões.

Green girou o aparato, e Greg e Sharon se revezaram para pegar os cartões, que deixaram sobre a mesa.

— Neste arquivo giratório eu mantenho minhas conexões internacionais. Não sou muito de apostar, mas aposto que, se telefonássemos para cada uma dessas pessoas que vocês tiraram aleatoriamente, veríamos a mesma tendência, a de que estão em uma missão maior que elas mesmas, independentemente do lugar de onde são.

Curiosos, os dois convidados admiraram a confiança do anfitrião. Greg disse:

— Mas esses líderes já devem ser ultrapassados se estão em um Rolodex, fala sério! Não vejo um desse há anos. Não tem nada mais atual armazenado no seu computador? Não precisamos de princípios do sucesso mais atualizados?

Green encarou o visitante da Califórnia e disse:

— Greg, como deve imaginar, a Fundação Napoleon Hill recebe solicitações do mundo todo – são mais de duzentos mil acessos por dia ao nosso site. Então, sim, eu uso um computador. Mas gosto de manter meus cartõezinhos no Rolodex.

Greg manteve-se quieto esperando o mentor expor seu ponto de vista.

— Recebemos solicitações de pessoas que pedem uma foto autografada de Napoleon Hill, e recebemos cartas endereçadas a ele pessoalmente, embora Hill tenha morrido em 1970, aos 87 anos. Um dia recebi um telefonema de um homem que disse ter começado a ler *Quem pensa enriquece*, mas, depois que descobriu quando o livro tinha sido escrito, pensou se não estaria perdendo tempo com um material ultrapassado. Perguntei se ele entendia a lei da gravidade. Ele devolveu a pergunta: "Como assim?". Expliquei que, se um homem pulasse de um prédio alto, chegaria ao chão e morreria, ou sofreria ferimentos graves. Não fazia diferença nenhuma ele pular hoje ou cem anos atrás. Algumas coisas nunca mudam, e os princípios do sucesso não mudaram. O tempo é irrelevante quando se discutem os segredos do sucesso... que, aliás, não são nenhum segredo. O conhecido *O segredo* é um livro contemporâneo sobre a lei da atração, que Napoleon Hill escreveu originalmente em 1919. Os princípios do sucesso não mudam, mas muitas vezes são escritos em um formato diferente, para atrair novos leitores.

— Muito bem, eu aceito a aposta — Sharon anunciou. — Jantar por minha conta, se as respostas do "porquê" forem as mesmas.

— Combinado — Green respondeu, confiante, como se já soubesse qual seria o desfecho.

Ela pegou o cartão mais próximo e leu o nome.

— Taddy. Quem é?

— Taddy Blecher. Uma preciosidade — respondeu Don Green. — O homem que deve ter sido o primeiro na história a fundar uma universidade por fax.

Greg e Sharon trocaram um olhar confuso.

Green continuou:

— Há alguns anos, de seu escritório em Johannesburgo, na África do Sul, sem nenhuma estrutura, sem cursos ou equipe, ele começou a postar avisos e enviar cartas por fax convidando pessoas que quisessem se tornar melhores. Ele queria oferecer aos jovens de seu país a oportunidade de superar o rótulo de marginalizados que a sociedade colocava neles. O único problema era que não havia faculdade para esses jovens frequentarem. Com mais de 3.500 inscrições para uma escola que ainda não existia, o Dr. Blecher e um punhado de colegas conseguiram o empréstimo de um edifício para abrigar a universidade. Daí em diante, a mágica aconteceu e a ideia explodiu naquela que se tornou a primeira faculdade da África do Sul para estudantes desfavorecidos.

Os autores trocaram um sorriso, certos de que Taddy teria uma grande história para contar se conseguissem falar com ele por telefone.

Green ligou para o número de Blecher, e uma voz alegre atendeu:

— Taddy falando.

— Como vai? — o outro homem perguntou com um sotaque sulista.

— Ei, olá, Sr. Green. Em que posso servi-lo?

— Tenho aqui dois amigos que gostariam de fazer algumas perguntas.

— É claro — Blecher respondeu.

Sharon se inclinou para o alto-falante e disse:

— Olá, Sr. Blecher, meu nome é Sharon Lechter, e Greg Reid está aqui comigo. Ficamos sabendo que fundou uma universidade para ajudar estudantes que, normalmente, não teriam como arcar com as despesas de um curso superior. O que o inspirou a fazer isso e, mais importante, que dificuldades enfrentou?

Depois de uma breve pausa, Blecher disse:

— Ah, tivemos um enorme desafio. Suponho que todos os grandes sonhos começam com a ideia muito antes de convencer outras pessoas a acreditarem neles. Não tínhamos absolutamente nada, mas o que queríamos provar, o que estávamos determinados a provar, era que aqueles garotos, que tinham sido descartados pela sociedade, eram tão criativos quanto quaisquer outros.

O educador sul-africano continuou:

— Na época, quase todo mundo sugeriu que aqueles jovens eram capazes apenas de trabalhos que exigiam menor preparo – poderiam ser agricultores ou trabalhadores braçais, por exemplo –, e nós dissemos: não! Vamos provar que esses garotos que vêm de barracos na lama e das ruas podem se tornar chanceleres, contadores e corretores de ações, ou o que eles quiserem ser.

Intrigado com a mensagem, Greg perguntou:

— Taddy, o que o fez seguir em frente quando todos o chamavam de louco?

Taddy riu baixinho e deu uma resposta direta:

— Manter o *mindset* de que você nunca pensa sobre onde está hoje; você pensa em para onde está indo. Você tem que saber de forma passional, total e completa qual é seu objetivo final. Mesmo que seja só um sentimento, você sabe em cada célula de seu corpo que isso é real... e mais importante, é maior que você mesmo. Você está fazendo alguma coisa que vai ajudar outras pessoas pelas próximas gerações. Quando aceita isso como um fato, os contratempos e as dificuldades não têm tanta importância.

— Então, parece que você teve um "porquê" suficientemente grande — sugeriu Greg.

— É, podemos dizer que sim — respondeu a voz do outro lado. — Este mundo seria um lugar muito maior se mais pessoas direcionassem a atenção de "eu" para "nós", não acha?

— Concordo — respondeu Greg. — Agradecemos muito por ter dedicado esse tempo a falar conosco, e também pelo grande trabalho que está fazendo. Você me deu, quero dizer, a mim e a Sharon, muito em que pensar. Obrigado.

Don e Sharon também agradecerem, e eles desligaram. Sharon olhou para Green e comentou impressionada.

— Esse Rolodex é poderoso.

Don riu antes de responder:

— Pode acreditar nisso. Os ensinamentos de Napoleon Hill tiveram grande impacto em pessoas do mundo todo. Na verdade, hoje de manhã conversei com Tanaka Taka-aki, fundador da SSI Corporation e nosso parceiro para distribuição no Japão, e ele disse que o sucesso depende de 3 C:

*Congruência: ser autêntico em suas palavras e ações. Em outras palavras, fazer o que você diz, e falar o que você faz. Tem gente olhando, e, mais importante ainda, isso o que faz seu caráter.*

*Clareza: ter uma visão clara do que deseja.*

*Certeza: saber do fundo do coração e da alma que o que você está fazendo tem propósito.*

— Mas vamos deixar que ouçam o que tem a dizer outra pessoa. Vamos ligar para o próximo e ver o que vai ser compartilhado. Que nome tem aí, Greg?

— LuAn Mitchell.

Sharon comentou:

— Já vi o nome dela na mídia. Ela foi a empreendedora canadense do ano três vezes seguidas. Vamos ligar para ela, Don. Eu adoraria conhecê-la, mesmo que só por telefone. — Ela olhou para seu coautor e brincou: — Pronto, Greg, outra mulher bem-sucedida para entrevistar.

— Já vou avisando que ela é um estouro. — Green ligou para o número do escritório dela, mas ninguém atendeu.

Ele continuou com as credenciais de Mitchell:

— Entre os muitos prêmios que ganhou, ela já foi maior empreendedora do mundo em Madri, em 2001, e a Universidade McGill, de Montreal, Quebec, deu a ela seu prestigiado prêmio de realização empresarial em 2003. O American Biographical Institute a escolheu como mulher do ano em 2005, e ela recebeu seu prêmio de realização de vida. Ela também foi nomeada empreendedora número um do Canadá pelas revistas *Profit* e *Chatelaine* em uma pesquisa nacional, por três anos consecutivos. Deu para ter uma ideia? Vamos ver, acho que tenho outro contato dela.

Ele virou o cartão, encontrou o número do celular e ligou. A resposta foi imediata.

— Oi, Don, o que houve, amor? — falou Mitchell com um tom muito afetuoso.

— Oi, LuAn, tenho duas pessoas aqui comigo, e queremos fazer uma pergunta rápida. Tem um minuto?

— É claro, querido. Quem está aí?

Sharon falou ao microfone:

— Meu nome é Sharon Lechter, e estou aqui com Greg Reid; estamos trabalhando em um novo livro com a Fundação e queremos lhe fazer uma pergunta.

— Pode perguntar — respondeu Mitchell.

— Já sei um pouco sobre você, li sua história no jornal. Quando seu marido faleceu, você assumiu o frigorífico que estava a um passo da falência e o salvou em apenas três anos.

— É verdade, mas o que eles não contam nos jornais é o que passamos para fazer isso acontecer — LuAn comentou com um suspiro.

— Como assim? — Greg quis saber.

— Quando meu marido morreu, as coisas estavam tão difíceis que até meus filhos perguntaram se íamos conseguir pagar a hipoteca da casa. A verdade é que eu não sabia. Mas lá estava eu, viúva, mãe de três filhos, sem renda, e com a maioria das ações de um frigorífico à beira da falência, e decidi me concentrar completamente em tentar salvar a empresa.

Greg continuou perguntando:

— As pessoas acharam que você era maluca?

Ela respondeu rindo:

— Não, elas não acharam, de jeito nenhum. Tiveram certeza absoluta! E estavam certas de que eu fracassaria, porque não tinha experiência.

Todos no escritório sorriram do comentário.

— E o que você fez? — perguntou Sharon.

— Uma coisa que meu falecido marido costumava dizer era que eu era a consumidora perfeita. Mãe de três filhos, com um marido que precisava reduzir a ingestão de sal por causa do problema cardíaco. Então, decidi criar uma linha de produtos que atendesse ao meu grupo e criei uma linha *gourmet* mais saudável, que todos podiam consumir.

— Quando teve essa inspiração, os investidores ou credores a recusaram? — Sharon quis saber.

— Procuramos todos os bancos de empréstimos, e todos disseram a mesma coisa: se *você* está dentro, nós estamos fora!

— Uau, deve ter sido doloroso — Green imaginou.

— Na verdade, não foi, Don. Isso se tornou minha força motriz — contou Mitchell. — Eu acreditava no que estava fazendo, e sabia que estava fazendo aquilo pelos motivos certos. E acreditava que tínhamos um produto que podia ser útil ao mundo todo.

Greg opinou:

— Isso é poderoso.

— Por mais maluco que possa parecer, como você já disse, Sharon, salvamos essa empresa em pouco tempo. Instituímos bons programas para os empregados e criamos mágica. Os clientes chegavam aos montes, e começamos a vender nossos produtos pelo mundo. Foi um grande sucesso. As vendas duplicaram, depois triplicaram, e depois as coisas ficaram realmente animadas.

— Isso é fantástico — Sharon comentou.

— Levamos a empresa a meio bilhão de dólares em renda anual antes de eu decidir vender.

— Você disse bilhão? Com B? — Greg quis ter certeza.

— É, eu sei... loucura, não? Sim, você ouviu bem, meio bilhão. Nada mal para uma "*socialite*" loira, como algumas pessoas se referiam a mim. Mas acho que isso não é tão ruim, comparado com as outras coisas de que me chamaram.

Os três riram alto dessa revelação.

Percebendo que a conversa poderia se estender por horas, Don a interrompeu agradecendo pela história e sugerindo deixar os contatos dela com os visitantes, caso eles quisessem continuar a conversa mais tarde.

— Vou pedir para minha secretária, Annedia, mandar um e-mail para você. Voltamos a conversar em breve.

— Obrigada, Don — ela respondeu. — E telefone se eu puder ser útil em mais alguma coisa.

Quando desligaram, Sharon olhou para os outros dois e disse:

— Eu pago o jantar, rapazes!

Sorrindo, o Sr. Green disse:

— Eu me adiantei, Annedia fez reservas para nós antes de ir para casa. Temos uma hora, mais ou menos. Como já esteve aqui, Greg, vou levar Sharon para conhecer a sede. Fique à vontade, pode olhar o que quiser.

Greg ficou sozinho. Seus olhos vagaram pela sala, e ele se perdeu em pensamentos. Em suas visitas anteriores, estivera concentrado em criar algum tipo de relacionamento com a fundação, e agora se tornava parte da família.

Tentava pensar em seu incrível desenvolvimento, mas era dominado pela insegurança. As coisas finalmente aconteciam do seu jeito, mas não conseguia se livrar da sensação de que era uma fraude. Apesar de seu trabalho duro e da enorme lista de *insights*, ainda não ganhava dinheiro.

A empresa que tinha vendido ia bem, e era grato pelos dois mil que entravam todo mês da venda, mas estava gastando o dobro disso em viagens, e as dívidas se acumulavam. Lá estava ele, cercado por toda essa prosperidade, mas aliviado por Sharon ter se oferecido para pagar o jantar, porque sabia que seu cartão de crédito não seria aceito.

As coisas estavam tão difíceis que considerava pedir falência. Ele suspirou deprimido, e a voz interior debochou: "Estou dando tudo que tenho a esse projeto, e não tenho nada, nenhuma recompensa. Não estou melhor do que estava havia um ano. Por que pensei que seria capaz de realizar um projeto de tão grande prestígio? Quem sou eu para me relacionar com essa gente incrivelmente bem-sucedida? Talvez eu deva parar de me enganar e arrumar um emprego".

Antes de ser completamente dominado pelas dúvidas, Greg tentou se distrair dando uma olhada no escritório. Retirava livros das estantes e os colocava de volta, mais atento aos próprios problemas do que às obras maravilhosas diante dele.

Ele percebeu um armário de arquivo a poucos metros de onde esteve sentado. "Don disse que eu podia olhar o que quisesse", pensou, e abriu o arquivo. "Uau!", exclamou ao descobrir o que havia lá dentro: fileiras e mais fileiras de anotações pessoais manuscritas e artigos de Napoleon Hill. Muitos pareciam não ter sido lidos desde que foram arquivados. Em cima de tudo, Greg encontrou um pergaminho identificado com "Adversidade e Derrota". O texto era o seguinte:

### ADVERSIDADE E DERROTA

*Cada adversidade que você encontra traz nela uma semente de benefício equivalente ou maior. Entenda essa afirmação e acredite nela. Feche a porta da mente para todos os fracassos e todas as circunstâncias do passado, de forma que ela possa operar em uma atitude mental positiva. Todo problema tem uma solução, você só precisa encontrá-la!*

*Se você desenvolve uma atitude do tipo "não acredito em derrota", aprende que derrota não existe até que você a aceite como tal! Se você consegue olhar para os problemas como contratempos temporários e degraus para o sucesso, passa a acreditar que as únicas limitações que tem são aquelas em sua cabeça.*

*Lembre-se: cada derrota, cada decepção e cada adversidade trazem nelas a semente de um benefício equivalente ou maior.*

Enquanto lia, Greg pensou que, talvez, seu atual desespero estivesse atrapalhando seu progresso. A mensagem de Hill tocou-lhe fundo. Ele desviou os olhos dela por um momento e refletiu sobre as palavras. Elas o fizeram recuperar a razão, lembrando que o momento de insegurança era parte de sua Equação de Sucesso pessoal. Parte de sua jornada. Ele se obrigou a reconhecer que tinha ido muito longe, considerando que o ponto de partida tinha sido alguém que pensara em roubar o paletó do Sr. Buckland. E como aquele paletó e a fé do Sr. Buckland nele o levaram ao caminho que trilhava agora. Percebeu que precisava continuar acreditando em sua missão e prometeu a si mesmo operar com uma atitude mental positiva. Embora as coisas parecessem difíceis, estava em seu degrau para o sucesso. Encontrar o pergaminho de Hill era algo que não poderia ter acontecido em melhor hora, e ele riu quando percebeu que havia estado tão perto dele o tempo todo. Com essa importante mudança de atitude, Greg foi encontrar Don e Sharon para jantar.

As pessoas absorvem a
natureza, os hábitos e
a força de pensamento
daqueles com quem se
associam em um espírito de
solidariedade e harmonia.

— NAPOLEON HILL

## CAPÍTULO VINTE

# Um novo começo

Quando Greg chegou em casa, encontrou um convite esperando por ele. O cartão era espetacular: papel de pergaminho com acabamento dourado.

Enquanto Mia reconhecia a beleza do convite, Greg queria saber simplesmente qual era o evento. Ele leu o cartão com impaciência.

— Sua presença é solicitada na comemoração do aniversário de 75 anos do Sr. Jonathan Buckland — recitou.

Imediatamente, Greg começou a pensar na oportunidade de socializar com mais amigos próximos de seu mentor. Sabia que a festa se transformaria em alguma coisa especial e fez uma prece rápida de gratidão. A imaginação de Mia também foi despertada pela ideia de conhecer pessoalmente o Sr. Buckland e ver quem mais poderia comparecer.

— Isso vai ser ótimo! — ela exclamou.

Na noite da comemoração, havia uma lua cheia iluminando o céu. Greg e Mia chegaram à festa muito elegantes, Mia com um vestido vermelho e um novo corte de cabelo, Greg com seu bloco escondido no *smoking* para registrar os fragmentos de sabedoria.

— Olá, bem-vindos a bordo — disse com voz simpática alguém de quepe de capitão.

À típica maneira Buckland, o líder empresarial oferecia sua festa em um iate fretado, o mais espetacular da cidade, normalmente reservado por oficiais e dignitários do governo.

— Greg, é bom te ver — o anfitrião falou da popa.

— Feliz aniversário, Sr. B. — respondeu o convidado agradecido.

— Mia, você é tão linda quanto eu imaginava — Buckland elogiou ao beijar a mão dela. Embora tivessem conversado por telefone e e-mail, quando ele a mantinha informada sobre o progresso de seu protegido, os dois nunca tinham se visto.

— Ah, para — ela respondeu com o rosto um pouco corado.

Greg e Mia então se dirigiram à cabine, procurando a mesa onde estavam os cartões com o nome deles. Quando se sentaram, não poderiam estar mais animados, pois notaram que estavam perto o bastante do convidado de honra para ouvir o que ele dizia.

Participavam da festa a nata da sociedade e os mais proeminentes líderes. Eles se sentiam personagens da terra dos brinquedos deslocados. Greg percebeu que Buckland sabia exatamente o que estava fazendo quando designara os assentos.

— É uma honra estar com todos vocês — Mia proclamou, e ergueu o copo.

Antes que Greg pudesse propor um brinde, ele ouviu uma voz muito conhecida.

— Quero participar deste aqui — anunciou Ron Glosser. Quando todos ergueram suas taças, ele disse: — Aos novos amigos, antigos conhecidos, e àqueles que vamos conhecer, que possamos todos viver em harmonia e causar impacto em muitas vidas.

Todos bateram os copos.

— Senhoras e senhores, temos alguém especial aqui conosco. Estes são Greg e Mia. Greg está trabalhando em um novo livro sobre superar obstáculos, e tem a ajuda da Fundação Napoleon Hill. É um prazer dizer que já tive a oportunidade de dividir com ele algumas palavras de sabedoria, e talvez vocês possam colaborar também.

— Obrigado, Sr. Glosser — Greg falou com humildade.

— O que Ron lhe disse? — perguntou um companheiro de mesa.

— Ele disse que nunca se deve tomar uma decisão em um momento de desânimo.

— Eu disse "depressão", explique direito — Glosser provocou. Os outros convidados reconheceram sua conhecida insistência em precisão.

Quando as risadas cessaram, outra pessoa perguntou:

— O que mais aprendeu?

— Foram muitas lições. Não sei nem por onde começar.

— Fale para eles sobre a AMP — sugeriu Mia.

— Ah, sim, atitude mental positiva — Glosser interferiu. E acenou para a esquerda ao perguntar: — Greg, gosta de beisebol?

— É claro. Cresci torcendo para o San Diego Padre.

— Então, lamento pela derrota que impusemos a vocês na semana passada — disse outro convidado à mesa.

— Este é Drayton McLane, dono do Houston Astros — Glosser apresentou. — Ele conhece em primeira mão o poder de ter a atitude certa, bem como de não desistir em tempos difíceis.

O dono do time de beisebol comentou:

— Quando compramos a franquia, os tempos eram difíceis, de fato. Na verdade, tive que assinar cheques da minha conta pessoal para cobrir a folha de pagamento, e estamos falando em milhões.

— Deve ter sido um ano difícil — Mia respondeu.

— Foram sete anos difíceis! — McLane anunciou. — Meses depois de eu ter assumido o time, meus jogadores entraram na mais longa greve da história do beisebol. Depois, foram mais sete anos até começarmos a ter lucros.

— Por que não desistiu e vendeu o time? — perguntou outro convidado.

— Nunca desisti de nada na vida — ele respondeu depressa. — E não comprei o time para ganhar muito dinheiro, de qualquer maneira; foi mais pelo amor ao esporte, e essa foi uma das maiores bênçãos que já tive. — Ele parou por um momento e concluiu o pensamento: — Utilizamos a fama dos jogadores para causar um impacto positivo em nossa comunidade. Eles visitavam escolas e hospitais, e realmente participaram do esforço para fazer da cidade um lugar melhor. Não se pode atribuir um preço a uma coisa como essa. Além do mais, os desvios e problemas são o que tornam a vida interessante e única.

— Incrível — Greg sussurrou para Mia enquanto virava as páginas de seu bloco. — Acho que não devemos reclamar dos contratempos, afinal.

McLane ouviu e disse:

— Céus, não. E entenda:

*Às vezes as piores situações se tornam*
*as melhores oportunidades.*

— Tudo tem a ver com liderança — McLane continuou. — Seja aquele que vê os diamantes no bloco de carvão. Enquanto a maioria só enxerga sujeira e lama, um líder vê as coisas de um ponto de vista inteiramente diferente. É como aquela velha história sobre os dois meninos no celeiro.

Greg dedicou toda a sua atenção à conversa. Agora era diferente de quando conhecera Jon Buckland. Sentia-se diferente, mais à vontade com ele mesmo, mais aberto a receber o que era oferecido.

— Sabe... dois meninos entram em um celeiro. Quando o menino vê a pilha gigante de 1,5 metro de excremento, ele vira e sai correndo.

Glosser ria, sabendo aonde a história iria chegar.

— O outro menino vê a situação de um jeito diferente. Ele mergulha de cabeça, se joga no meio da pilha e espalha a porcaria por todos os lados. Quando o fazendeiro pergunta o que ele está fazendo, o menino responde: "Minha opinião, senhor, é que com todo este esterco, deve ter um pônei aqui em algum lugar".

Os convidados riem da piada velha.

— O que faz um grande líder, em sua opinião? — Mia perguntou com sinceridade.

McLane respondeu sem hesitar:

— Uma vez ouvi dizer...

Greg registrou esse novo pensamento e refletiu sobre ele por um momento:

*Um verdadeiro líder conduz os outros a um lugar aonde eles não teriam ido sozinhos.*

— Escutem! Escutem! — exclamaram os outros em uníssono, erguendo as taças para mais um brinde à liderança.

— Isso é muito bom, obrigado — Greg falou agradecido. Ele agora se lembrava de ter lido que McLane havia levado a empresa da família de um empreendimento de US$ 3 milhões para um império de US$ 19 bilhões, antes de vendê-la para Sam Walton, em 1990. Isso foi liderança bem-sucedida!

— E vocês? — Mia perguntou a duas mulheres bem-vestidas e sorridentes.

— Estamos rindo porque Sharon Lechter disse que deveríamos procurar por você esta noite. Ela tinha razão sobre seu entusiasmo e sua energia. Ela disse que você gostaria de ouvir nossa história, mas ela tem mais a ver com a natureza humana do que com negócios.

McLane então apresentou a dupla de um jeito que chamou a atenção de todos.

— Senhoras e senhores, essas são Sara O'Meara e Yvonne Fedderson. Elas são fundadores de uma organização sem fins lucrativos chamada Childhelp, e foram indicadas ao Prêmio Nobel da Paz por quatro anos seguidos, por seus esforços para resgatar crianças vítimas de abuso no mundo todo. O trabalho delas é reconhecido por muitas décadas, e a estimativa é de que já alcançou cinco milhões de crianças. Além dos muitos prêmios e recomendações, a história delas virou um filme para a TV.

Mia levantou-se, deu a volta na mesa e abraçou as duas mulheres, dizendo:

— Que maravilhoso. Vocês são realmente obra de Deus.

— Esperamos que sim. Ele certamente nos faz trabalhar sem parar — respondeu Fedderson.

— Como começaram? — Greg quis saber.

Sara O'Meara respondeu:

— Havia muitos anos, mais de cinquenta, Yvonne e eu éramos animadoras na USO. Quando estávamos no Japão, encontramos onze bebês órfãos de origem norte-americana e asiática, e ninguém os queria. Nós os levamos para o nosso quarto de hotel na esperança de encontrar um lar para eles, mas foi em vão. Até os oficiais do Exército disseram que tínhamos que devolver as crianças ao local de onde as tiramos... a rua.

— Mas não queríamos nem ouvir falar nisso — continuou Yvonne Fedderson. — Dissemos aos oficiais que tínhamos seguido suas instruções, mas escondemos as crianças no hotel enquanto fazíamos os shows. Finalmente, encontramos uma mulher na cidade que se dispôs a ajudar, mas ela não tinha dinheiro nem outra coisa qualquer a oferecer àquelas crianças, só amor. Prometemos que, se ela as acolhesse, voltaríamos com roupas, comida e dinheiro para ajudá-la a cuidar de todos.

Os outros à mesa absorviam cada palavra da história.

— E o que aconteceu? — Mia perguntou, curiosa.

— Procuramos os militares e pedimos ajuda — disse O'Meara. — Falamos com eles sobre as crianças, sobre o que elas estavam passando, e até sugerimos que eles deveriam ajudar, porque eram crianças de origem meio americana, e podiam bem ser filhos deles.

Fedderson continuou a história que já havia contado tantas vezes antes.

— E eles ajudaram! Agora a Childhelp já ajudou mais de cinco milhões de crianças. Temos programas em 42 estados e quatorze países. Nossa linha nacional para denúncias de abuso ajuda milhares de crianças quando elas mais precisam, todos os meses.

Todos na mesa aplaudiram com entusiasmo.

— Estão empolgadas com a possibilidade de ganhar o Prêmio Nobel? — Greg perguntou.

— Estamos mais animadas com a atenção que isso chama para o Childhelp do que com o prêmio — O'Meara disse. — Não tem a ver conosco. Tem a ver com os milhares de voluntários que trabalham por essas crianças. Eles merecem o prêmio.

— Graças a Deus não desistiram quando enfrentaram dificuldades — Mia comentou.

— Como organização não governamental, sempre enfrentamos dificuldades, desde não conseguirmos atender a todas as crianças que precisam de nossa ajuda, até angariar fundos ano após ano para ajudar as que conseguimos amparar. Enquanto houver crianças vítimas de abuso, nosso trabalho não termina.

Então, com brilho nos olhos, Fedderson acrescentou:

— E se quiserem nos ajudar como voluntários ou doadores, ficaremos muito gratas.

— Vinte e quatro horas por dia, sete dias por semana. Esse é o ritmo de trabalho dessas mulheres por nossas crianças. Vocês são anjos na terra, de verdade! — Ron Glosser exclamou. — As pessoas dizem que desistir não é uma opção. Isso é bobagem: sempre é uma opção. Os líderes apenas entendem que, para ser bem-sucedido, é preciso agir como quem vai alcançar o sucesso, e nunca perder o foco no resultado final. Essas mulheres resumem essa crença, e, embora isso possa ser um jogo de palavras, pessoas bem-sucedidas entendem que devem sempre...

Greg registrou essas palavras imediatamente em seu bloco de anotações:

*Agir como se... e nunca acreditar no nunca.*

Greg se lembrou claramente de ter se convencido de que a dependência de David nunca, nunca seria superada. Ele também se lembrou de que David tinha usado a mesma frase de Glosser, algo que havia aprendido na reabilitação: "Agir como se". Parecia ser um tema comum para aqueles que procuravam o sucesso em qualquer área.

Nos piores momentos, quando David recaíra e parecia perdido, Greg cogitou a ideia de que o irmão poderia nunca se recuperar. Mas, se não acreditasse no nunca, talvez o nunca jamais chegasse...!

Os convidados do jantar passaram a hora seguinte trocando histórias de sucesso, luta e vitória. Aquilo se transformava em um banquete intelectual e inspirador, além de culinário. A certa altura, Sara O'Meara olhou para Greg e disse:

— Sharon me contou que você também tem tido uma bela jornada aprendendo sobre perseverança. Já ouviu as histórias de muitos aqui. Gostaríamos de ouvir a sua.

Glosser concordou:

— Isso mesmo, Greg. Bucky não o teria incluído em seu círculo mais próximo se não acreditasse que está pronto para isso. Se está aqui, é porque ele acredita que conquistou esse direito!

Greg tinha passado o último ano vendo o mundo pelos olhos de muitas pessoas diferentes. Sentara-se no joelho do mestre, Sr. Buckland, e ouvira as valiosas palavras de sabedoria dele e de seus vários amigos. Mas, apenas uma semana antes, no escritório de Don Green, Greg tinha sido dominado pela insegurança e pelo sentimento de desespero. Mas talvez Glosser estivesse certo. Ao longo do caminho, Greg aprendera com a sabedoria de outras pessoas e fizera diferentes escolhas para si mesmo por isso. Nesse momento, finalmente percebia que tinha se tornado um convidado de honra. Um arrepio percorreu suas costas quando ele sentiu a importância de sua transformação pessoal.

Sem pressa, disse:

— Acho que uma coisa é procurar e registrar excelentes conselhos, outra coisa bem diferente é seguir esses conselhos e colocá-los em prática. Cada um de vocês fez diferença não só na própria vida, mas também na vida de muitos outros. Cada um escolheu a sabedoria que falou à sua situação pessoal, fez todo o esforço para internalizá-la e, depois, colocá-la em prática.

Glosser sorriu e disse:

— Greg, é evidente que você também fez isso. Sei que atribui o crédito a Buckland e aos amigos dele, nós, inclusive, mas Buckland não mudou sua vida, você mudou! Não é?

Greg concordou com humildade.

— É, acho que sim. Na verdade, eu vim das profundezas do desespero. Tinha perdido Mia e me via diante do desastre financeiro, quando conheci o Sr. Buckland. Ainda estou reconstruindo minha vida, mas agora estou focado no futuro com esperança, muito entusiasmo e antecipação. — Ele afagou a mão de Mia e prosseguiu: — Hoje, tudo que quero na vida é dar tudo de mim à minha vida. Encontrei minha coragem no que aprendi com cada um de vocês.

Os convidados à mesa sorriram ao ouvir as palavras de Greg. Glosser pegou um pedaço de papel e anotou:

*Tudo que quero na vida é dar tudo*
*de mim à minha vida.*

— Greg, você acabou de dar a todos nós um importante fragmento de sabedoria. Gosto disso! — Glosser guardou o papel no bolso. — Realmente, você conquistou o direito! Obrigado, Greg.

Greg estava chocado com o que tinha acabado de acontecer. Essa troca honesta do que era realmente importante o havia amparado em muitos momentos difíceis da vida, especialmente no último ano.

Seus pensamentos foram interrompidos quando alguém bateu de leve no microfone e anunciou:

— Um minuto de atenção, por favor.

Todos no barco ficaram em silêncio para ouvir Jonathan Buckland.

— Obrigado por terem vindo a esta comemoração. Normalmente, só um funeral reúne tanta gente em um evento. Talvez estejam pensando que não vou chegar ao próximo aniversário!

Todos riram.

— Uma das maiores lições que aprendi em todos esses anos neste planeta é sobre o poder da associação. Dizem que você é o reflexo das pessoas com quem convive. Sou abençoado, honrado e grato por ter cada um e todos vocês em minha vida. Saúde!

A sobremesa foi servida, e Greg e Mia se levantaram e foram ao convés do iate respirar um pouco de ar fresco. Na proa, enquanto sentiam a umidade do oceano, eles encontraram um homem de aparência simpática.

— Olá — o casal o cumprimentou.

— Ei, olá — respondeu o desconhecido. — Meu nome é Rudy Ruettiger. — Ele ergueu a taça de champanhe.

— É um prazer conhecê-lo — respondeu Mia.

Greg foi direto ao ponto, como sempre.

— O único Rudy que conheço é de um filme antigo em que o jogador de futebol era carregado para fora do campo em comemoração no fim do famoso jogo de Notre Dame.

— E foi a única vez que isso aconteceu — respondeu o outro convidado.

— Conhece aquele Rudy? — Greg estranhou.

— Sim, eu o vejo cada vez que olho no espelho. — Ele sorriu.

— Sério? — Os olhos de Greg brilharam. — Eu adorei aquele filme! É um grande prazer conhecê-lo!

— Obrigado. Para ser sincero, ele quase não aconteceu.

— Como assim? — Mia estranhou.

— Bem, é uma história bem interessante. Achei que a história seria um grande projeto, mas ninguém mais pensava como eu. Finalmente, encontrei um roteirista em Hollywood que aceitou se encontrar comigo para discutir as ideias. Ele parecia muito animado ao telefone. Juntei algum dinheiro e peguei um avião para ir encontrá-lo.

— Ele ajudou você a escrever o roteiro? — Mia perguntou, interessada.

— Foi assim — ele respondeu. — Passei trinta minutos sentado à mesa de uma lanchonete, e o homem não chegava. Uma hora depois, ainda nem sinal dele. Duas horas, depois três.

— O que você fez? — Greg insistiu, curioso com a história de Ruettiger.

— Depois de tanto tempo, acredite ou não, eu ainda tinha esperança, ainda vinha o potencial do que a história oferecia, e não estava disposto a desistir. Não é meu estilo. Eu estava com um amigo, e pedi para ele continuar esperando na mesa, caso o homem aparecesse, enquanto eu saía para respirar um pouco. Saí e...

— Ele estava lá? — Mia arriscou.

— Não — respondeu Ruettiger. — Mas vi um rosto simpático, um carteiro com o maior sorriso que eu já tinha visto. Eu disse a ele: "Esse sorriso é ótimo, depois do dia que estou tendo. Por que está tão alegre?". O carteiro começou a rir e disse: "Acabei de mudar para cá, vim de Michigan; na semana passada eu estava entregando cartas na neve, e agora estou aqui de *short*, pegando um bronzeado.

Os três riram muito da imagem do carteiro de óculos de sol, tentando imitar uma celebridade.

— Ele continuou: "Fico feliz por alegrar seu dia, mas... o que faz aqui? Qual é sua história?". E eu contei. Dei o passo a passo de como queria fazer um filme relatando minha experiência. O carteiro respondeu: "Sabe, isso é uma coisa que se ouve muito nesta cidade, mas sua ideia é boa. Quem veio encontrar?".

Houve uma pausa um pouco mais longa, enquanto Rudy Ruettiger bebia um gole do seu champanhe. Sua plateia de duas pessoas continuava atenta.

— Quando eu falei quem era, ele ficou muito bravo, mas de um jeito positivo e construtivo. E disse: "Gostei de você, quero ajudar. Na verdade, conheço esse sujeito que o deixou aqui plantado. Entreguei correspondência para ele há meia hora. Sei onde ele mora, e vou contar para você". Bem, como podem imaginar, fiquei animado, fui diretamente ao endereço que ele me deu e bati na porta. O homem que tinha me deixado esperando abriu e perguntou: "Quem é você?".

Outra pausa dramática. As ondas batendo na lateral do iate eram o único som que se ouvia, enquanto Greg e Mia esperavam prendendo a respiração.

— O que você disse? — Greg perguntou.

— Eu respondi: "Rudy, e você está atrasado para o almoço".

Greg e Mia se olharam, reconhecendo mais uma mensagem semelhante àquelas que aprendiam ao longo da jornada. Reconheciam que Ruettiger não desistira de seu sonho e teve a coragem de perseverar.

Rudy Ruettiger disse:

— Sabem de uma coisa? Se olharem os créditos no fim do filme, vão ver que foi ele que escreveu o roteiro. Que bom, hã?

Greg pegou o bloco e anotou uma velha lição dada de um jeito novo:

*Não desista cinco minutos antes*
*de o milagre acontecer.*

O som da buzina de neblina interrompeu a reflexão. A viagem chegava ao fim, e o iate tinha voltado ao porto.

— Tenho que contar um segredinho a vocês — Rudy acrescentou. — Bucky me falou sobre o que está fazendo. Por isso quis contar essa história. Lembre-se, poucas coisas são maiores que o poder da perseverança.

Quando eles se afastavam, Greg disse a Mia:

— Ouviu isso? Ele me procurou.

Mia tocou seu braço.

— Isso significa que a maré virou, e agora é sua vez!

Os convidados da festa desembarcaram. Greg e Mia estavam entre os últimos a sair.

— Feliz aniversário, Sr. Buckland — Mia falou ao se despedir dele com um abraço. — Obrigada por tudo que tem feito por nós.

— Tem sido um prazer, Mia. — Ele olhou para Greg. — Sei que teve algumas dificuldades com o projeto, mas não desista dele. Ouvi dizer que Sharon Lechter está envolvida. Essa associação vai ser ótima para você. Já pensou que, a essa altura, está a menos de três passos de achar seu ouro?

— Acho que sim — Greg respondeu.

— Aliás, tem uma coisa que quero dividir com você há um tempo, Greg. Você me falou sobre seu irmão adotivo e o problema de dependência química. Notei como isso o atormentava, inclusive quando enfrentava dificuldades com Mia e quando estava em sua maior jornada de descobrimento.

Greg não sabia o que dizer, por isso ouviu atento e segurou a mão de Mia.

— O que eu não contei naquela época é que perdi uma filha para as drogas. Ela não se recuperou. Não sei se não quis o suficiente, ou se não se esforçou o suficiente... mas ela nunca se encontrou. A mãe dela e eu perdemos nossa menina quando ela estava com 23 anos. Tão jovem! Para ser honesto, nunca mais fomos os mesmos. Eu integrei o conselho diretor de um centro de reabilitação. Por coincidência, o mesmo onde David esteve.

Mia estava chorando, e Greg fazia um esforço imenso para não desmoronar. Não tinha palavras para expressar quanto se sentia surpreso e grato pelas palavras de Buckland.

— Então, conheço sua dor e fico muito feliz com sua alegria. Pelo que sei, David também está a menos de três passos do ouro, do maior sucesso da vida dele: recuperar-se da dependência. Não é fácil, mas é a vez dele. E você pode ser um dos maiores professores e amigos que ele tem. Fique com ele. Compartilhe com ele. Aprenda com ele, Greg.

Quando um grupo de mentes individuais é coordenado e funciona em harmonia, a energia aumentada criada por essa aliança torna-se disponível a cada mente individual no grupo.

— NAPOLEON HILL

## CAPÍTULO VINTE E UM

# O lançamento

Com a última peça no lugar – Sharon Lechter à frente do projeto –, agora o projeto do livro caminhava rapidamente. A festa de Buckland no iate só havia comprovado que Greg estava no caminho certo. Ele sentia um entusiasmo renovado com o livro. Era como se alguém tivesse redigido um roteiro para ele.

Sharon continuava marcando uma entrevista depois da outra, trazendo novos rostos com novas mensagens e alimentando a empolgação dos dois com o projeto. Mais importante, ela marcara reuniões com seus contatos na área editorial. Assim como o sucateiro havia procurado orientação que rendera a ele milhões, o novo autor seguia pelo mesmo caminho com essa nova associação com Sharon.

De repente, pessoas com quem ele compartilhava a proposta quase caíam da cadeira com o impacto, dizendo que não poderia haver momento melhor para um projeto como aquele. Apontavam que, cada vez que se abria o jornal pelo país, as manchetes eram:

- Desastre econômico
- Explosão da bolha do mercado imobiliário
- Novo recorde de fechamento de empresas
- 300% de aumento no número de falência em dezoito meses

- Má administração corporativa persiste
- Necessidade de financiamento estatal
- Recessão global sem resolução à vista

Com o mercado de ações em frangalhos, havia o consenso geral de que o mundo realmente precisava daquele novo livro. Ele traria esperança e orientação de líderes empresariais bem-sucedidos da geração atual que, espontaneamente, contavam como conseguiram perseverar e manter o entusiasmo, apesar da adversidade; como, ao não desistir, eles conseguiram deixar seus milagres acontecerem.

Em um dos telefonemas semanais, Sharon atualizou Greg e Don sobre seu progresso.

— Oi, Greg. Oi, Don — ela disse no início da chamada. — Acabei de conversar com outra editora. Eles também acham que é um ótimo momento para um livro sobre ajudar a manter uma atitude mental positiva em tempos tão sombrios para a economia. Mesmo sem eu ter tocado no assunto, eles mencionaram que *Quem pensa enriquece* foi publicado durante a Grande Depressão e deu a milhões de pessoas esperança e coragem para encontrar a confiança não só para sobreviver à Depressão, mas também para construir novos e bons negócios, que devolveram estabilidade financeira a suas comunidades; negócios que criaram grande riqueza pessoal. Espero que nosso livro forneça essa mesma esperança e coragem às pessoas hoje em dia.

— E vai! — Greg gritou. — De fato, agora percebo mais que nunca que os fragmentos de sabedoria sobre os quais escrevemos foram o que me fez seguir em frente nos tempos difíceis.

— Na verdade — Sharon acrescentou, pensativa —, eu estava enfrentando um desafio pessoal quando esse projeto apareceu. Mas é difícil sentir pena de si mesmo e pensar que está absolutamente sozinho quando lê e relê constantemente tudo que esses grandes líderes enfrentaram. Se eles conseguiram perseverar, pensei, eu também conseguiria. Sempre que tinha um dia especialmente difícil, eu me concentrava nesse projeto e encontrava a coragem e a fé para continuar.

Sharon continuou:

— De fato, esses especialistas tinham em comum uma tremenda fé. Acreditavam que, se encontrassem sua paixão, aplicassem seu talento e agissem com a associação acertada, coisas boas aconteceriam. Como você, Greg. Mesmo em seu momento mais difícil, você encontrou fé para continuar. Na verdade, acho que precisamos acrescentar fé como um fator da Equação do Sucesso. É o que une todos os outros fatores. Então, a equação seria *((P + T) x A x A) + F = Sucesso.*

Don respondeu:

— Concordo inteiramente. Fé é um elemento essencial de perseverança, e é o molho secreto da equação do sucesso. Tenho confiança de que este livro vai proporcionar a esperança, a fé e a coragem de que tanta gente precisa hoje.

— Agora só precisamos de uma editora que concorde conosco e tenha a mesma fé que todos nós temos — Greg declarou, esperançoso.

— É verdade. E parece que várias editoras com quem falei finalmente estão começando a entender. Agora, vamos ver quem se destaca e se torna a voz por trás desses grandes líderes — disse Sharon.

— Buckland pediu para mandarmos notícias para ele e para os outros quando tivermos alguma oferta dos editores.

— Certo, vamos marcar uma reunião para o mês que vem. Assim, teremos tempo para esperar um retorno de todos com quem fizemos contato.

As páginas do calendário voaram, e logo a data da reunião chegou. Greg e Sharon encontraram Don Green e o grande Jon Buckland na sala da diretoria do prédio da World Capital. Buckland começou a conversa.

— Muito bem, vamos ouvir as novidades. Em que pé está o projeto?

Sharon respondeu:

— Não recebemos uma oferta.

O desânimo de todos era evidente.

— Na verdade, recebemos QUATRO ofertas — ela continuou sorrindo.

Todos aplaudiram.

— Isso é maravilhoso — disse Don Green. — Qual vamos aceitar?

— Boa pergunta — Greg manifestou-se.

Sharon passou uma planilha das editoras com cronograma e ofertas. Durante as três horas seguintes, o grupo discutiu, argumentou e debateu as oportunidades diante deles, pesando cada pró e contra até escolherem uma organização.

— É isso. Vai ser esta — Don anunciou, apontando para o quadro diante deles. Estamos todos de acordo, a editora escolhida é essa?

— Sim — eles responderam em uníssono.

— Vamos mostrar nosso reconhecimento promovendo o livro de um jeito realmente grandioso — sugeriu Buckland. — Devemos isso a eles, devemos isso às pessoas que vocês entrevistaram e devemos isso às pessoas que vão ler esse livro e criar valor a partir das mensagens contidas nele.

Green acrescentou:

— Vamos fazer dele um grande sucesso, vai ser uma homenagem ao Charlie. — Charlie Jones havia perdido a batalha para o câncer semanas antes daquela reunião. As quatro pessoas em volta da mesa baixaram a cabeça. Cada um fez uma prece silenciosa.

Depois, daquele jeito barulhento e típico, Buckland perguntou:

— Então, qual vai ser o título?

Sharon e Greg, que já esperavam pela resposta, levantaram-se e caminharam até a ponta da mesa.

— Como sabem, de acordo com uma sugestão do Sr. Buckland, fiz anotações de todas as entrevistas e anotei quase todas as morais que aprendi nessa jornada — Greg falou com orgulho.

— Dito isto, o título parece ser bem óbvio — Sharon acrescentou.

Ela pegou o bloco e o empurrou por cima da mesa como uma caneca de cerveja sobre o balcão do bar de um *saloon* do Velho Oeste.

Todos leram as palavras manuscritas na capa do bloco, agora manchado e cheio de orelhas causadas pelo uso constante. As pessoas riram, aplaudiram e concordaram:

— Isso é perfeito!

Quando ficaram em pé para se despedir ao final da reunião, eles trocaram abraços e palavras calorosas de reconhecimento. Buckland aproximou-se de Greg e deu a ele um presente que só ele entendeu.

De um jeito objetivo, Buckland entregou justamente o paletó que Greg havia devolvido quando se conheceram em seu escritório.

— Acho que isto pertence a você — ele sussurrou.

Aceitando o presente sem alarde, o jovem estudante entendeu o exato significado do gesto. O aluno se tornava professor e, com esse gesto simbólico, começava o próximo capítulo de sua vida.

Greg pegou seu bloco sobre a mesa de reuniões e sorriu. A caminho da porta, olhou para trás e viu aquele mesmo sorriso afetuoso no rosto de Jonathan Buckland.

Ele passou os dedos pelas letras escritas na capa tanto tempo antes. Pareciam resumir todo o processo – os anos de luta, a falta de direção na vida, o presente que fora a mentoria de Buckland, o relacionamento renovado com Mia, a virada milagrosa de David com a ajuda de um poder superior, as incríveis histórias de perseverança e realização e a capacidade de compartilhar o conhecimento adquirido recentemente com outras pessoas. Que jornada havia sido!

E quem saberia o que esperava por ele e pelas pessoas de sua vida? Quem teria imaginado que as mesmas palavras sussurradas por seu mentor no primeiro encontro teriam inspirado seu caminho para o sucesso?

Greg guardou o bloco no bolso do paletó novo e sorriu das palavras que resumiam tudo aquilo – lembrando a ele que estava sempre...

*a menos de três passos do ouro!*

Lembre-se de que sua verdadeira riqueza pode ser medida não por quanto você tem, mas pelo que você é."

— NAPOLEON HILL

# Epílogo

Nossa jornada continua

Ao longo da escrita deste livro, Greg empregou os princípios do sucesso que havia aprendido com os empreendedores que entrevistara. Sua jornada é um verdadeiro exemplo do princípio: nunca desista. Esperamos sinceramente que *A três passos do ouro* traga a você o mesmo incentivo e a mesma motivação para acreditar em si mesmo e descobrir sua Equação do Sucesso.

Combine paixão e talento, atue com a associação certa e, acima de tudo, acredite que está no caminho certo.

$$((P+T) \times A \times A)+F = \textit{Sua Equação do Sucesso.}$$

*Que você tenha a bênção do sucesso!*
*Não desista. De verdade, essa é sua vez!*

Trabalhar com a Fundação Napoleon Hill e com as inúmeras pessoas bem-sucedidas que encontramos tem sido tão gratificante que estamos eufóricos com a oportunidade de continuar essa jornada juntos. Enquanto escrevíamos *A três passos do ouro,* percebemos que o medo é frequentemente o maior obstáculo para o sucesso. Napoleon Hill reconheceu isso. Em *Quem pensa enriquece*, Hill identificou seis obstáculos que chamou de Fantasmas do Medo.

Vamos explorar os medos que impedem as pessoas de transformar ideias e oportunidades em ação. Sem ação, ideias não valem um centavo. Gostaríamos de descobrir como pessoas bem-sucedidas conseguiram superar seus medos e recuperar a fé. Esperamos que essa sabedoria nos ajude, e ajude você, quando encontrarmos as dificuldades que fazem parte de correr riscos e seguir nossa paixão.

Quando formular sua Equação do Sucesso, você também pode se descobrir diante do medo e da dúvida. Como vai lidar com eles é o que determina seu progresso e, em última análise, seu sucesso. Você está convidado para nos acompanhar no próximo capítulo da nossa jornada.

— GREG S. REID E SHARON L. LECHTER

# Palavras finais

*Você está esperando o sucesso chegar, ou vai sair e descobrir onde ele se esconde?*

As palavras do poeta John Milton "Também serve aquele que para e espera" podem ser profundas e autênticas, mas as verdadeiras riquezas da vida chegam, mais provavelmente, àqueles que as procuram e buscam de forma ativa. Raramente o sucesso chega acompanhado por uma banda marcial em traje completo. O mais comum é que seja conquistado por trabalho longo e duro.

Oportunidades de ouro se escondem em cada canto, esperando alguém com iniciativa aparecer e encontrá-las.

Tome a iniciativa, e você vai criar suas oportunidades. Não há substituto para ação baseada em um plano bem pensado.

— NAPOLEON HILL

# Apêndice

Defina sua Equação do Sucesso

Você já tem o talento e a capacidade para criar muito sucesso em sua vida. A Equação do Sucesso em *A três passos do ouro* vai mostrar como.

$$((P + T) \times A \times A) + F = \textit{Sua Equação do Sucesso}$$

Junte Paixão, algo que faz seu coração vibrar, e Talento, algo em que você é excelente, multiplique pela Associação certa, pessoas ou organizações bem-sucedidas, e Ação, passos concretos que você pode dar em direção ao seu objetivo, e depois junte Fé, a crença inabalável em si mesmo, e você terá sua Equação do Sucesso única e pessoal.

Se já não tem um diário, crie um. A criação da sua Equação do Sucesso pode ser o primeiro registro.

## *Paixão*

No seu diário, use uma página para fazer uma lista das dez coisas pelas quais você é apaixonado. A de Sharon poderia incluir x e y; a de Greg, *a* e *b*. O que tem na sua lista? Você pode precisar da ajuda dos amigos e da família (que o apoiam!) para encontrar coisas que realmente o empolgam, mas que você pode considerar irrelevantes.

O que faz seu coração vibrar? Pense nos momentos de sua vida em que se sentiu mais preenchido. O que estava fazendo?

## *Talento*

Agora, em outra página, faça uma lista das dez coisas em que é realmente bom. Você é um grande comunicador? Tem jeito com números? Sabe cozinhar ou desenhar?

Em que se supera? Quais são seus talentos?

Agora peça a um amigo para remover um item de cada lista que menos o descreve.

Repita o processo com vários amigos, em grupo ou individualmente, até restar um item em cada lista.

Minha paixão é: ________________________________

Meu talento é: ________________________________

## *Associação*

Associação tem a ver com as pessoas e organização de que você se cerca. Pense nas cinco pessoas com quem passa mais tempo. Elas o apoiam? São bem-sucedidas? Você precisa mudar suas associações?

Relacione nomes de cinco pessoas que conhece pessoalmente.

Descreva o que torna essas pessoas vencedoras, em sua opinião.

Faça outra lista. Que associações poderiam ajudá-lo a aplicar seu talento e sua paixão?

Pense em grupos de pessoas, negócios, faixa etária, esportes que poderiam beneficiar ou ajudar na busca por sua paixão ou seu talento.

Agora pesquise na *web* sua paixão ou seu talento. O que encontrou nessa pesquisa? Se você se sente confuso com muitos resultados, comece a estreitar o foco até encontrar algo que o intrigue. Alguma ideia nova?

Olhe a lista de associações que você fez e escolha uma. Dê um telefonema para ver se pode "ser útil" àquela associação. Pergunte: "Como posso lhe ser útil?".

### *Ação*

Fazer uma mudança requer ação. Você está realmente comprometido com melhorar sua vida, ou só se sente atraído pela possibilidade?

Olhe no espelho... para que as coisas mudem... você tem que mudar!

### *Fé*

Essa é sempre a parte mais difícil de dominar na equação. Ter fé significa acreditar em você mesmo e em sua ideia, apesar dos obstáculos que pode encontrar.

Lembre-se – Pare um momento e lembre-se dos altos e baixos de sua vida.

Reflita – Como essas coisas o afetaram? Como você respondeu? Teve apoio dos amigos e da família?

Admita – Admita que quase todas as pessoas bem-sucedidas também tiveram momentos ruins, não só sucesso na vida. Elas aprenderam a perseverar e superar esses momentos ruins. Você também consegue!

Reconheça – Reconheça que é capaz de perseverar e encontrar as associações certas!

Aja como se! – Tenha a fé em sua Equação do Sucesso, acreditando que ela o levará a incrível sucesso, e comece agindo todos os dias de acordo com esse sucesso.

## *LEMBRE-SE:*

Para planejar um caminho para o sucesso, é útil saber onde você está e como chegou aí. Tem um ditado que diz: "Sua vida é a soma das decisões que você tomou". Vamos rever seu passado a fim de criar seu futuro.

Você já se sentiu em um beco sem saída?

Quantas vezes ouviu "não"? O "não" o desanimou ou desmotivou?

Pare um momento e lembre-se disto:

Onde estava?

Quantos anos tinha?

Como se sentiu?

Lembre-se de um ponto alto em sua vida, um tempo em que se sentiu um vencedor.

Onde estava?

Quantos anos tinha?

Como se sentiu?

## *REFLITA:*

Quando esteve em seu ponto mais baixo, pensou em desistir?

Você desistiu? Se sim, por que desistiu? Se não desistiu, como se recuperou?

O que você aprendeu?

Pare e anote isso tudo.

Agora meça sua "aderência" em uma escala de 1 a 10. Pense novamente nas vezes em que desistiu. Estava realmente comprometido com o objetivo, ou só interessado?

Cada erro é uma oportunidade para aprender. Você está aberto a novas ideias?

## ADMITA:

Registre os cinco fragmentos de *A três passos do ouro* que causaram maior impacto em você. Agora registre os especialistas que os compartilharam... e os desafios que enfrentaram. Classifique a "aderência" deles em uma escala de 1 a 10 (dica... são todos 10).

## RECONHEÇA:

Você sabe qual é objetivo de sua vida?

Você conhece alguém bem-sucedido que compartilha esse objetivo de vida? Se sim, quem?

Está pronto para escolher seu caminho?

Está pronto para desenvolver "aderência"?

Está pronto para fazer parte dos 5% que alcançaram sucesso?

## AJA COMO SE:

Todos os dias, pergunte a você mesmo se está caminhando em direção aos seus objetivos, ou para longe deles.

Registre em seu diário os passos que deu.

Tenha fé em você mesmo e no resultado e comece a caminhar rumo ao seu objetivo.

Escreva um mantra para si mesmo. Repita-o olhando para o espelho.

Olhe para você mesmo no espelho e repita: "Eu posso fazer o que escolher fazer! E ter sucesso!". Diga isso de novo, de novo e de novo.

Você pode ter acabado de encontrar seu caminho! Lembre-se de que não se torna um sucesso da noite para o dia.

Agora sua Equação do Sucesso é assim:

*((P + T) x A x A) + F = Sua Equação do Sucesso*

Minha paixão é: ______________________________

Meu talento é: ______________________________

Minha associação é: ______________________________

Minhas ações serão: ______________________________

Eu tenho fé no meu sucesso!

Você agora está *a três passos do ouro!*

*Parabéns!*

Agora que criou sua Equação do Sucesso...

Qual é o próximo passo?

Todo atleta de ponta usa treinadores profissionais e depende deles. Muitos executivos hoje em dia contam com a orientação e o comprometimento assegurados pelo *coaching* empresarial. É hora de você dar esse passo extra... e encontrar o treinador que o ajudará a tomar as atitudes para entender sua equação do sucesso pessoal. Um estudo recente conduzido pela International Coach Federation revelou que aqueles que foram treinados tiveram uma mudança pessoal em hábitos pessoais de trabalho e melhorias nas seguintes áreas:

- 62,4%: estabelecimento mais perspicaz de objetivos
- 60,5%: vida mais equilibrada
- 57,1%: níveis mais baixos de estresse
- 52,4%: mais autoconfiança
- 43,3%: melhoria na qualidade de vida
- 25,7%: mais renda

Gostaria de experimentar esse tipo de melhoria em sua vida?

Um momento economicamente difícil é o melhor para preparar você e seus negócios a fim de alcançar benefício máximo quando a economia começar a melhorar. Invista em você mesmo e veja resultados fabulosos.

Nosso MasterMind Coaching Program foi projetado para orientá-lo a:

- Desenvolver sua Equação do Sucesso.
- Implementar sua Equação do Sucesso.
- Mapear aonde quer chegar e de que vai precisar para chegar lá.

- Aprender com os melhores profissionais que se juntaram para criar esse programa MasterMind de treinamento.
- Eliminar quaisquer obstáculos ou bloqueios que existam em seu caminho.
- Celebrar quando chegar lá!

# Agradecimentos

Um agradecimento especial a um grupo de pessoas que acreditaram em *A três passos do ouro* quando ele ainda era um sonho... bem, antes de se tornar um livro de verdade. Sua fé e seu apoio foram inestimáveis: Twyla Prindle, Bill Bartmann, Troie Battles, Ena Simms, Jose Feliciano, Chris Jackson, Richard e Sherry Wright, Satomi Seki, Cutressa Williams, Gene Padigos, Steve e Larisa Gomboc, Sheila Pearl, Dra. Felicia Clark, Scott Schilling, Brian Whitaker, John Burley, Gary Boomershine, Dustin Mathews e Brandon Moreno.

O livro pronto é um verdadeiro testemunho do espírito de colaboração. Agradecemos a toda a equipe da Sterling Publishing por sua dedicação e experiência, com destaque para Marcus Leaver, Jason Prince, Michael Fragnito e Meredith Hale. Além disso, ficamos honrados com o apoio e agradecemos o conhecimento fornecido por Robert T. Johnson Jr., Michael Lechter, Cevin Bryerman, Steve Riggio, Greg Tobin, Kevin Stock, Kristin Thomas, Jon Dixon, Nita Blum, Stuart Johnson, John Neyman, Dr. JB Hill, Burnie Stevenson, Allyn Palacio e Annedia Sturgill.

Obrigado também às nossas verdadeiras estrelas, as histórias de sucesso do nosso tempo que deram sua orientação, abriram seus corações e compartilharam seus segredos de perseverança. Esses presentes não têm preço: James Amos, Bill Bartmann, Taddy Blecher, Genevieve Bos, John Hope Bryant, Truett Cathy, Richard Cohn, David Corbin, Joe Dudley, Yvonne Fedderson, Debbi Fields, Ed Foreman, Ronald D. Glosser, Ruben Gonzalez, Don Green, Erin Gruwell, Dr. Tom Haggai, Mark Victor Hansen, Mike Helton, Evander Holyfield, Charlie "Tremendo" Jones, Julie Krone, Michael Laine, Jahja Ling, Dave Liniger, Frank Maguire, Jack Mates, Drayton McLane Jr., LuAn Mitchell, Lauren Nelson, Jim Oleson, Sara O'Meara, Bob Proctor, Rudy Ruettiger, John Schwarz, John St. Augustine e Tanaka Taka-aki.

E obrigado ao homem que deu início a tudo, Napoleon Hill, cuja jornada começou há um século e cujas palavras trouxeram esperança e incentivo a milhões de pessoas em todo o mundo para alcançar e conquistar o sucesso.

# Biografias de nossos mentores MasterMind

— JAMES AMOS, *Presidente emérito, Mail Boxes, Etc.*

Amos é ex-presidente e CEO da Mail Boxes, Etc. (agora UPS Stores), uma das maiores franqueadoras e entre as que mais rapidamente crescem no mundo de negócios de varejo, comunicação e serviços postais. Durante sua gestão, a rede MBE compreendia cerca de 4.500 lojas em todo o mundo, com contratos de licenciamento em mais de oitenta países. Amos também é ex-presidente da International Franchise Association e, atualmente, é presidente e diretor-executivo da Tasti D-Lite Corporation. Formado pela Universidade de Missouri, foi homenageado como bolsista residente em 1998, e em 2000 e 2003 com o prêmio Distinguished Alumnus. Ele é um veterano condecorado do Vietnã.

— BILL BARTMANN, *Fundador da Bill Bartmann Enterprises*

Bill Bartmann é a personificação do oprimido que superou circunstâncias e tragédias pessoais para chegar ao topo do mundo americano dos negócios. Sem-teto aos quatorze anos, membro de uma gangue de rua e desistente do ensino médio, ele assumiu o controle da própria vida passando no exame supletivo e cursando a faculdade de Direito. A pedido de um banco, assumiu uma fábrica hipotecada de canos para extração em campo de petróleo e a transformou em um negócio de US$ 1 milhão por mês, até que a OPEP cortou o preço do petróleo, deixando Bartmann fora do mercado e com um milhão em dívidas. Recusando-se a desistir, ele e sua esposa e sócia nos negócios, Kathy, fizeram um empréstimo de US$ 13 mil e criaram um novo setor – resolução de dívidas. Três anos depois, eles quitaram a dívida. Ao longo dos treze anos seguintes, aumentaram a empresa para 3.900 funcionários, com receita superior a US$ 1 bilhão e lucros superiores a US$ 182 milhões.

— ADAM PAUL "TADDY" BLECHER, *Ativista de Direitos Humanos*

Taddy Blecher foi cofundador do primeiro instituto de ensino superior gratuito da África do Sul para educação de pessoas financeiramente desfavorecidas. Ele foi reconhecido como um dos cem jovens líderes em todo o mundo, com menos de 37 anos, que deram uma contribuição excepcional para "fazer um mundo melhor". Taddy Blecher deve ter sido a primeira pessoa a fundar uma universidade a partir de um aparelho de fax. De seu escritório em Joanesburgo, na África do Sul, sem prédios, cursos ou funcionários, ele começou a enviar por fax uma carta-convite para 350 escolas. Com mais de 3.500 inscrições para uma escola que não existia, o Dr. Blecher e um punhado de colegas conseguiram o empréstimo de um prédio para instalar a universidade, que se tornou a principal faculdade para ajudar alunos carentes na África do Sul a se tornarem mais que agricultores e trabalhadores braçais.

— GENEVIEVE BOS, *Proprietária e fundadora da revista* Pink

Como cofundadora e editora da *Pink*, a única revista, *site* e empresa de eventos do país exclusivamente para mulheres profissionais, Genevieve Bos liderou as operações nacionais de vendas e marketing da empresa. Por meio de entrevistas na mídia e palestras para organizações como Cisco Systems, Dell, GE, KPMG, Coca-Cola e Harvard Business School, ela continua a inspirar mulheres que almejam o sucesso profissional sem sacrificar suas identidades autênticas e decididamente femininas. Antes de fundar a *Pink*, Bos foi empreendedora de tecnologia por dezessete anos, criando e vendendo várias empresas. Ela criou alianças estratégicas com empresas como Microsoft, Intel e Universal Studios; desenvolveu e gerenciou equipes de vendas altamente lucrativas; e publicou uma revista premiada para a indústria de impressão e publicação digital, *Digital Output*. Genevieve também publicou uma revista aclamada com sede na Geórgia chamada *Business to Business*.

— JOHN HOPE BRYANT, *Fundador, presidente e CEO, vice-presidente da Operation Hope, membro do Conselho da Presidência para Educação Financeira*

Em 2008 Bryant foi nomeado pelo presidente George W. Bush vice-presidente do Conselho para Educação Financeira. Ele é fundador, presidente e diretor-executivo da Operação Hope, a primeira organização bancária de investimento social sem fins lucrativos da América, agora operando em 51 comunidades dos EUA e na África do Sul, tendo arrecadado mais de US$ 400 milhões no setor privado para capacitar os pobres. Criado em Compton e no centro-sul de Los Angeles, Califórnia, e sem-teto por seis meses de sua vida aos dezoito anos, John Hope Bryant é hoje um líder empresarial e empresário filantrópico que viajou incansavelmente pelo mundo promovendo esperança, autoestima, dignidade e oportunidade para os carentes.

— TRUETT CATHY, *Fundador e presidente, Chick-fil-A Inc.*

Samuel Truett Cathy é fundador da Chick-fil-A, uma rede de restaurantes de *fast-food*. Ele pegou um pequeno restaurante de Atlanta, originalmente chamado de Dwarf Grill, e o transformou na segunda maior rede de restaurantes *fast-food* de frango nos Estados Unidos, com mais de US$ 2,64 bilhões em vendas em 2007 e, atualmente, mais de 1.380 lojas. Seu tremendo sucesso nos negócios permitiu que Truett perseguisse outras paixões – em especial, seu interesse pelo desenvolvimento dos jovens. Como uma extensão de suas convicções, todas as lojas da empresa fecham aos domingos – uma política rara no setor de serviços de alimentação – para permitir que os funcionários frequentem a igreja e passem um tempo com a família. Cathy recebeu inúmeras homenagens, incluindo o Prêmio Humanitário Norman Vincent e Ruth Stafford Peale, o Prêmio Horatio Alger e o Prêmio Boy Scouts of America Silver Buffalo.

— RICHARD COHN, *Cofundador, Beyond Words Publishing*

Cohn é cofundador da Beyond Words Publishing, que atualmente lança quinze novos títulos na categoria mente-corpo-espírito a cada ano em parceria com a Atria Books, uma divisão da Simon & Schuster. Além disso, a Beyond Words atua como distribuidor atacadista para livrarias e varejistas internacionais, incluindo Costco, Indigo Books, no Canadá, e Cygnus Books, no Reino Unido, bem como três mil livrarias independentes e lojas de presentes ou especializadas em todo o mundo. Mais conhecido por publicar o *blockbuster O segredo*, de Rhonda Byrne, Cohn se considera "um sucesso da noite para o dia" com apenas 23 anos de construção.

— DAVID CORBIN, *Autor, palestrante, inventor*

David M. Corbin inspira e educa pessoas há mais de vinte anos. Ele foi descrito como um "Robin Williams com doutorado em negócios" devido ao seu estilo perspicaz associado a sólidas táticas e estratégias de negócios que geram resultados. Suas mensagens como palestrante e autor foram testadas pelo tempo e na prática, porque ele atuou como CEO e presidente de empresas privadas e públicas e teve consultoria direta de executivos e diretores da AT&T, Hallmark,

Domino's Pizza, bem como membros do gabinete, diretores de associação, administradores de hospitais, administradores de faculdades e universidades e outros.

— JOE LOUIS DUDLEY SR., *Presidente e CEO, Dudley Products Inc.*

Em 1957 Dudley investiu US$ 10 em um *kit* de vendas da Fuller Products e começou a vender produtos para cabelos de porta em porta em bairros afro-americanos. Quando houve uma escassez de produtos Fuller, em 1969, ele e a esposa começaram a fabricar e vender a própria linha sob o rótulo Dudley Products. Ao contrário de muitos fornecedores de produtos para cuidados com a pele e o cabelo, Dudley escolheu comercializar sua linha de produtos diretamente para salões de beleza, em vez de varejistas. Em 2003, com receita anual de US$ 30 milhões, a empresa oferecia quatrocentos produtos para cabelos e pele. Ele também opera a Dudley Cosmetology University, com unidades na Carolina do Norte, e duas escolas no Zimbábue.

— YVONNE FEDDERSON E SARA O'MEARA, *Fundadoras da Childhelp Indicadas ao Prêmio Nobel*

Serem nomeadas para o Prêmio Nobel da Paz quatro vezes não é o que move Yvonne Fedderson e Sara O'Meara. Elas veem esse reconhecimento simplesmente como um veículo para promover a Childhelp, uma organização sem fins lucrativos que fundaram há mais de cinquenta anos. Continuam ativamente envolvidas no desenvolvimento e na supervisão dessa importante organização nacional sem fins lucrativos dedicada a ajudar crianças vítimas de abuso e negligência. A abordagem da Childhelp se concentra em prevenção, intervenção e tratamento. A organização destacou o problema do abuso infantil na América e desenvolveu soluções de ponta. Seu serviço atingiu cerca de cinco milhões de jovens em risco. Além de muitos prêmios e elogios, sua história foi transformada em filme para a TV.

— DEBBI FIELDS, *Fundadora e atual porta-voz da Mrs. Fields Cookies*

Debbi Fields é fundadora e ex-presidente da Mrs. Fields Cookies, uma empresa de US$ 500 milhões. Aos vinte anos e sem nenhuma experiência empresarial, Fields convenceu um banco a financiar um conceito de negócio que não havia sido testado e parecia ter pouca probabilidade de sucesso. Em 16 de agosto de 1977, Mrs. Fields Chocolate Chippery abriu as portas ao público em Palo Alto, Califórnia. Ao longo dos anos, as funções de Fields passaram do gerenciamento de uma loja para supervisão de operações, gerenciamento de marca, relações públicas e desenvolvimento de produto das mais de novecentas lojas próprias e franqueadas nos Estados Unidos e em outros onze países.

— ED FOREMAN, *Palestrante e primeira pessoa eleita para o Congresso por dois estados diferentes*

De menino de fazenda a milionário *self-made* aos 26 anos, Foreman se tornou congressista dos EUA por dois estados diferentes, Texas e Novo México. Ele foi destaque no *'60 Minutes*, do canal de notícias CBS, e recebeu o Council of Peers Award for Excellence, a mais alta honraria concedida pela National Speakers Association (conquistada por menos de cem pessoas no mundo todo). Foreman é uma das oito pessoas a receberem o prêmio Distinguished Faculty Award, do Institute for Management Studies. Ele foi destaque em centenas de artigos de revistas e jornais e viaja 515 mil quilômetros por ano compartilhando sua famosa mensagem de "vida diária bem-sucedida" com executivos corporativos em todo o mundo.

— RONALD D. GLOSSER, *CEO aposentado, Hershey Trust e M. S. Hershey Foundation*

Ronald D. Glosser nasceu em Conesville, Ohio. É bacharel em Administração de Empresas pela Ohio Wesleyan University. Além disso, o Sr. Glosser se formou na Stonier Graduate School of Banking em Rutgers e, mais tarde, recebeu um título de doutor honorário em Direito pela Lindsay Wilson College. Glosser começou carreira bancária no Cleveland Trust, onde atuou de 1957 a 1968, antes de assumir um cargo executivo no Goodyear Bank em Akron, Ohio. Ele se tornou presidente do Goodyear Bank em 1973 e permaneceu no cargo até 1982, quando o banco foi adquirido pela National City Corporation. Continuou presidente no National City Bank, em Akron, até 1989. Naquela época, Glosser tornou-se presidente e CEO tanto do Hershey Trust quanto da M.S. Fundação Hershey, onde permaneceu até se aposentar, em dezembro de 1995.

— RUBEN GONZALEZ, *Atleta olímpico, "O Homem Luge"*

Palestrante motivacional e autor aclamado internacionalmente, o tricampeão olímpico Ruben Gonzalez começou seus sonhos olímpicos tarde na vida. Embora a maioria dos atletas forme suas ambições por volta dos dez anos, ele começou aos 21 depois de ver Scott Hamilton ganhar uma medalha de ouro na TV. Ele pensou que, se Hamilton podia fazer aquilo, ele também poderia. Percebendo que não era o melhor atleta natural, seu plano era simples: encontraria um esporte em que houvesse muitos ossos quebrados e muitos desistentes, só que ele não desistiria, por mais difícil que ficasse. Ele escolheu o luge.

— DON GREEN, *CEO, Fundação Napoleon Hill*

Don Green tem a distinta honra de supervisionar as operações da prestigiada Fundação Napoleon Hill. Reconhecido como um dos grandes líderes no campo do desenvolvimento pessoal, Green dedicou tempo, energia e orientação profissional para o aperfeiçoamento dos outros. Seu envolvimento pessoal inclui a atuação em vários conselhos para levar promessa e conscientização para as crianças carentes do centro da cidade e oferecer a esperança, a qualquer um que a busque, de que, por meio das mensagens de Hill, tudo é possível. Ele é reconhecido como o pai da modernização da marca *Quem pensa enriquece*. Foi a contribuição direta de Green que levou à criação do texto que você está lendo no momento.

— ERIN GRUWELL, *Autor e educador*

Nada poderia ter preparado Erin Gruwell para o primeiro dia de ensino na Wilson High School, em Long Beach, Califórnia. Recém-formada na faculdade, Gruwell conseguiu o primeiro emprego na Sala 203, e lá descobriu que muitos de seus alunos haviam sido excluídos pelo sistema educacional e considerados "impossíveis de ensinar". Como adolescentes que viviam em uma comunidade urbana racialmente dividida, eles já estavam endurecidos pela exposição direta à violência de gangues, detenção juvenil e drogas. Com o apoio constante de Gruwell, esses alunos quebraram estereótipos para se tornarem pensadores críticos, aspirantes a estudantes universitários e cidadãos da mudança. Eles se autodenominaram "Escritores da Liberdade", em homenagem aos ativistas dos direitos civis. Gruwell publicou o livro *Freedom Writers*, que se tornou *best-seller* internacional e no qual o filme de mesmo título foi baseado.

— DR. TOM HAGGAI, *Presidente e CEO, IGA*

Tom Haggai começou a carreira de pastor aos treze anos e deixou o púlpito anos depois, em 1963, para falar na comunidade empresarial. No auge da carreira, Haggai fazia em média 250 palestras por ano, incluindo muitas viagens ao exterior. Em 1986 fez uma grande mudança na carreira e se tornou presidente e CEO da IGA, a maior rede voluntária de supermercados do mundo, com vendas mundiais agregadas, no varejo, de mais de US$ 21 bilhões anualmente. Com mais de quatro mil supermercados Hometown Proud em todo o mundo, o IGA está entre os dez primeiros supermercados de alimentos do mundo. A empresa tem operações em 48 estados nos Estados Unidos e em quarenta outros países, comunidades e territórios. Haggai atua como membro do conselho da Horatio Alger Association of Distinguished Americans Inc.

— MARK VICTOR HANSEN, *Cocriador da série Chicken Soup for the Soul®*

Mark Victor Hansen é conhecido como "Embaixador das possibilidades da América". Ele é o cocriador da série de produtos inspiradores *Chicken Soup for the Soul*, que lhe deu destaque mundial como palestrante muito procurado, autor de *best-sellers* e dissidente do markt-ing. É fundador da MEGA Book Marketing University e do império Building Your MEGA Speaking. Hansen também é autor de *The Richest Kids in America* e coautor de *Cracking the Millionaire Code, The One Minute Millionaire* e *Cash in a Flash*. É um filantropo apaixonado e humanitário. Em 2000 a Horatio Alger Association of Distinguished Americans homenageou Hansen com seu respeitado prêmio.

— MIKE HELTON, *Presidente, NASCAR*

Quando criança em Bristol, Tennessee, Mike Helton adorava assistir a corridas no Bristol Motor Speedway. Ele nunca imaginou, naquela época, que um dia seria presidente da NASCAR. Frequentou o King College em sua cidade natal, Bristol, como estudante de contabilidade, e trabalhou para uma estação de rádio local enquanto frequentava a faculdade. Como apresentador de um *talk show* no sábado de manhã, o assunto favorito de Helton era corrida. Mais tarde, tornou-se diretor de relações públicas da Atlanta Motor Speedway e progrediu na carreira, com passagens por Daytona e Talladega. Em 1999 foi nomeado vice-presidente sênior e diretor de operações da NASCAR. Em 2000 Helton se tornou a primeira pessoa fora da família France, fundadora da NASCAR, a ocupar o posto de presidente da companhia.

— EVANDER HOLYFIELD, *Tetracampeão mundial de boxe*

Boxeador profissional e campeão mundial nas divisões meio-pesado e peso-pesado, apelidado de "The Real Deal", Evander Holyfield é a única pessoa na história a vencer o campeonato de pesos-pesados quatro vezes. Com sua crença amplamente divulgada no cristianismo, ele usa camisetas com a palavra "Pray" (Reze). Como alguém reconhecido internacionalmente, promoveu muitos produtos na televisão, incluindo Coca-Cola e Diet Coke. Também lançou um *videogame* para Sega Genesis e Sega Game Gear: Real Deal Boxing de Evander Holyfield. Ele apareceu na televisão e em grandes filmes.

— CHARLIE "TREMENDO" JONES, *Fundador, Executive Books*

Fundador e criador da marca Executive Books, Charlie Jones foi estadista internacional, humorista e autor de *best-sellers*, e sua corporação já vendeu mais de cinquenta milhões de livros em todo o mundo. Mais conhecido por sua mensagem inspiradora "Você é o mesmo hoje que será daqui a cinco anos, exceto por duas coisas: as pessoas que conhece e os livros que lê", Jones dedicou a carreira a melhorar a vida de outras pessoas por meio de leitura de qualidade e excelente associações. Ele recebeu reconhecimento pelas conquistas de sua vida com seis doutorados honorários, mas ficou mais orgulhoso de ter quatro bibliotecas nomeadas em sua homenagem. Faleceu enquanto este livro era escrito e será lembrado com carinho por seu apoio e incentivo.

— JULIE KRONE, *Jockey*

Julie Krone se tornou a primeira jóquei a vencer uma corrida da Tríplice Coroa ao capturar as Estacas Belmont a bordo do Colonial Affair. Além disso, foi a primeira mulher jóquei a integrar o Museu Nacional de Corridas e o Hall da Fama. Apareceu na capa da *Sports Illustrated*, foi relacionada como uma das atletas mais duras de todos os tempos pelo *USA Today* e selecionada como Atleta Feminina do Ano da ESPN. Seu sorriso vencedor e sua ótima atitude a mantiveram como uma das favoritas dos fãs. Ela será para sempre conhecida como um exemplo inspirador do movimento das mulheres por igualdade.

— MICHAEL LAINE, *Fundador, LiftPort Inc., construtor do "elevador espacial"*

Como presidente e fundador da LiftPort Inc., empresa dedicada ao desenvolvimento comercial de um elevador para o espaço, Michael Laine busca transformar um interesse antigo no espaço em um empreendimento profissional. Laine traz mais de quinze anos de experiência em gerenciamento de negócios e desenvolvimento para os mercados de tecnologia, serviços financeiros e militar, com os últimos quatro anos dedicados à tecnologia e ao desenvolvimento espacial. Antes de seu trabalho para a LiftPort, Laine foi cofundador e presidente da HighLift Systems, empresa com sede em Seattle que recebeu fundos do Institute for Advanced Concepts, da NASA, para pesquisar a construção de um elevador para o espaço.

— JAHJA LING, *Maestro de orquestra sinfônica*

Natural da China, Jahja Ling é agora cidadão americano. Ele começou a tocar piano aos 4 anos e estudou na escola de música *Yayasan Pendidikan Musik*. Aos 17 anos, ganhou a Jakarta Piano Competition e, um ano depois, uma bolsa Rockefeller para estudar na Juilliard School. Lá ele completou mestrado e estudou piano com Mieczyslaw Munz e regência com John Nelson. Depois estudou regência orquestral na Yale School of Music com Otto-Werner Mueller e recebeu diploma de doutor em Artes Musicais. Foi regente do Instituto Filarmônico de Los Angeles. Atualmente, Jahja Ling rege a Sinfônica de San Diego.

— DAVE LINIGER, *Cofundador e presidente do Conselho, RE/MAX International Inc.*

Como cofundador e presidente da RE/MAX International Inc., Dave Liniger geralmente é mencionado por fazer mais do que qualquer outra pessoa no setor imobiliário para melhorar o ambiente de trabalho e o potencial de receita dos corretores de vendas. Ele é reconhecido como um dos principais prognosticadores das tendências do setor e foi introduzido no Hall dos Líderes do Council of Real Estate Brokerage Managers e no Hall da Fama da REBAC. Liniger é nacionalmente reconhecido como especialista em gerenciamento de tempo, treinamento de vendas, recrutamento e motivação. Ele foi destaque na *Entrepreneur*, *Forbes*, *Fortune*, *Success* e outras publicações importantes e apareceu extensivamente na televisão e no rádio em toda a América do Norte.

— FRANK MAGUIRE, *Palestrante*

Palestrante, motivador, professor, inovador e contador de histórias, Frank Maguire é um dos mais celebrados gurus de negócios de nosso tempo. Ele compartilhou com dezenas de milhares de ouvintes suas valiosas lições em liderança, estratégia corporativa e capacitação para o sucesso, bem como os segredos simples e atraentes de grandes empresas verdadeiramente bem-sucedidas. Maguire foi um dos membros originais da FedEx Worldwide e atuou como vice-presidente, chefe de programação da ABC Radio Networks, consultor de comunicações dos presidentes John F. Kennedy e Lyndon B. Johnson, braço direito do fundador da KFC e ícone da cultura pop Coronel Harland Sanders, e um dos cinco membros originais da força-tarefa que criou a Special Olympics e o Project Head Start.

— JACK MATES, *CEO aposentado, Velcro USA*

Considerado pioneiro na indústria de fechos, Jack Mates foi um dos primeiros responsáveis pelas vendas e marketing do velcro, em 1959, quando ele foi trazido da Suíça para a América do Norte; foi presidente e CEO da Velcro USA em 1980, até se aposentar da empresa, em 1986. Embora não se considere herói, Jack recebeu a prestigiosa Distinguished Flying Cross. Foi nomeado presidente emérito da Distinguished Flying Cross Society, tendo ocupado todos os cargos do conselho da sociedade desde seu início, em 1994.

— DRAYTON MCLANE JR., *Proprietário, Houston Astros Franchise*

Empreendedor americano, Drayton McLane é presidente do McLane Group e presidente e CEO do Houston Astros, da Major League Baseball. Em 2006 foi classificado n°. 322 da lista Forbes 400 dos americanos mais ricos. Dedica muito tempo ao serviço em comitês cívicos e de caridade. Drayton é atualmente membro do Conselho Executivo do Boy Scouts of America, presidente do conselho de curadores do Scott and White Memorial Hospital, membro do Conselho Nacional de Governadores do Cooper Institute of Aerobics Research, diretor da Bush School of Government and Public Service da Universidade Texas A&M, membro da Greater Houston Partnership e membro da United Way da Texas Gulf Coast.

— LUAN MITCHELL, *Ex-presidente, Mitchell's Gourmet Foods*

Mãe de quatro filhos, LuAn Mitchell tem longa experiência como empreendedora premiada. A função de presidente da Mitchell's Gourmet Foods deu a ela uma compreensão íntima da competitividade e das pressões globais do mundo empresarial de hoje. Ela foi nomeada Líder Empreendedora do Mundo em Madrid, Espanha, em 2001, e recebeu o prêmio Management Achievement da Universidade McGill em

2003. O American Biographical Institute a nomeou como Mulher do Ano em 2005, e ela também foi premiada com o Lifetime Award de realização. Mitchell foi eleita a empreendedora número um do Canadá pelas revistas *Profit* e *Chatelaine* em uma pesquisa nacional por três anos consecutivos.

— LAUREN NELSON, *Miss América 2007*

Lauren Nelson foi Miss Teen Oklahoma 2004, e nesse papel ela se apresentou no Miss América 2005. Depois de ganhar o título de Miss Oklahoma State Fair, foi coroada Miss Oklahoma em 2006. Ela ganhou o título de Miss América de 2007 aos dezenove anos, a competidora mais jovem a representar seu estado no concurso. Dedica esforços a garantir a segurança das crianças na internet.

— JAMES L. OLESON, *Presidente, Fundação Napoleon Hill*

James Oleson nasceu, cresceu e foi educado em Iowa. Depois de uma passagem pelo Exército dos EUA, começou carreira como corretor da bolsa. Aposentou-se como vice-presidente de investimentos da Merrill Lynch após 25 anos naquela empresa. Em seguida, ingressou na A.G. Edwards & Sons como vice-presidente sênior de investimentos. Em 1968 participou de um seminário de sucesso em Chicago. O palestrante foi W. Clement Stone, presidente do Conselho da Combined Insurance e, mais importante, presidente da Napoleon Hill Foundation. O livro *Quem pensa enriquece*, de Napoleon Hill, foi fundamental para o sucesso de Oleson. Ele se tornou curador da Fundação e, após a morte de Stone, em 2002, foi eleito presidente da Fundação Napoleon Hill, título que orgulhosamente detém até hoje.

— BOB PROCTOR, *Fundador, Life Success*

Bob Proctor é considerado um dos mestres e professores da Lei da Atração, e trabalha na área de potencial da mente há mais de quarenta anos. É autor do *best-seller You Were Born Rich* e transformou a vida de milhões por meio de seus livros, seminários, cursos e *coaching* pessoal. Bob Proctor é um elo direto com a ciência moderna do sucesso, remontando a Andrew Carnegie, o grande financista e filantropo. Os segredos de Carnegie inspiraram Napoleon Hill, cujo livro *Quem pensa enriquece*, por sua vez, inspirou todo um gênero de livros de filosofia de sucesso. Napoleon Hill passou o bastão para Earl Nightingale, que depois o colocou nas mãos capazes de Bob Proctor. Sua empresa, LifeSuccess Productions, está sediada em Phoenix, no Arizona, e opera globalmente.

— RUDY RUETTIGER

Contra todas as probabilidades, em um campo de golfe em South Bend, Indiana, Daniel "Rudy" Ruettiger escreveu seu nome nos livros de história como talvez o mais famoso graduado da Universidade de Notre Dame. Filho de um operário de refinaria de petróleo e terceiro de quatorze filhos, Ruettiger atingiu o auge do sucesso como um dos palestrantes motivacionais mais populares dos Estados Unidos. Foram necessários anos de determinação feroz, mas Rudy realizou seu maior sonho: ir para a Notre Dame e jogar futebol pelo Fighting Irish. Enquanto os fãs gritavam "Ru-dy, Ru-dy", ele neutralizou o *quarterback* nos últimos 27 segundos da única jogada no único jogo de sua carreira no futebol americano universitário. É o único jogador na história da escola a ser carregado para fora do campo nos ombros de seus companheiros. Em 1993, sua trajetória de vida se tornou o filme de grande sucesso *Rudy*.

— JOHN SCHWARZ, *Cocriador da "Teoria das Supercordas"*

Elaborando a teoria de Einstein, John Schwarz e seu parceiro, Dr. Michael Green, propuseram a reinterpretação da teoria das cordas como uma candidata a uma teoria unificada da gravidade e outras forças fundamentais. Por mais de uma década, sua inovadora "Teoria das Supercordas" foi rotulada de "absurda" dentro da comunidade científica. A cada ano, eles descobriam novos aspectos que achavam que convenceriam outros físicos da verdade de suas descobertas. Isso só aconteceu depois de uma descoberta feita no verão de 1984, que mostrou como certas inconsistências aparentes, chamadas de anomalias, não podiam ser evitadas. De repente, o assunto virou moda e é hoje uma das áreas de pesquisa mais ativas da física teórica. Hoje Schwarz é *Harold Brown Professor* de Física Teórica na Caltech.

— JOHN ST. AUGUSTINE, *Produtor, programa de rádio* Oprah & Friends

John St. Augustine foi chamado de "a nova voz da América" pelo veterano locutor Charles Osgood, e de "a voz mais influente no rádio" pela autora de *best-sellers* Cheryl Richardson. Milhares de ouvintes do meio-oeste sintonizam diariamente para ouvir suas opiniões sobre os eventos mundiais e suas conversas com os líderes e heróis de hoje. Em julho de 2006, ele encerrou seu programa na rede Radio Results quando surgiu a oportunidade de se tornar produtor do *Oprah & Friends* para a rádio XM Satellite. St. Augustine também é o criador das vinhetas de um minuto "Powerthoughts". Desde 1999, mais de três mil desses comentários inspiradores e instigantes foram ao ar nacionalmente. A partir de 2006, "Powerthoughts for Living an Uncommon Life" passou a ser ouvido no programa *Oprah & Friends*.

— TANAKA TAKA-AKI, *Fundador e presidente, SSI Corporation*

Buckland, Mia e David *são personagens fictícios inseridos para completar a parábola e refletir sobre os dramas da vida real que cercam todos nós na busca pelo sucesso.*

Tanaka Taka-aki fundou a SSI Corporation em 1979 para introduzir e comercializar programas de treinamento mental, incluindo os programas de Napoleon Hill, a maior filosofia de sucesso do mundo. Como presidente da SSI, ele é figura principal no campo de treinamento mental e de filosofia de sucesso no Japão. Desenvolveu o Sistema SSPS-V2, um método científico de treinamento mental que usa sua teoria original baseada na mais recente fisiologia cerebral e em eletrônicos de última geração. Sua técnica de treinamento mental para ativação cerebral, chamada Hyper-Listening (hiperescuta), ajuda pessoas de todas as idades e em todos os campos a desenvolver suas habilidades cognitivas apenas se concentrando em uma gravação de alta velocidade. Esse método inovador é aclamado por um grande número de celebridades e pela mídia.

# Sobre os autores

— SHARON L. LECHTER

Sharon Lechter é fundadora da Pay Your Family First, uma organização de educação financeira, e do YOUTHpreneur.com, uma forma inovadora de despertar o espírito empreendedor nas crianças. Em 2008 foi nomeada para o Conselho Consultivo do Presidente para Educação Financeira, em que é diretamente subordinada ao presidente e à Secretaria do Tesouro, para a criação de maneiras de influenciar a educação financeira.

Lechter é coautora do *best-seller* internacional *Pai rico, pai pobre* e de catorze livros da série Pai Rico. Durante seus dez anos como cofundadora e CEO da Rich Dad Company, ela se tornou uma potência internacional de multimídia. *Pai rico, pai pobre* esteve na lista dos mais vendidos do *New York Times* por mais de seis anos e meio e está disponível em mais de cinquenta idiomas em cem países. Mais de 27 milhões de livros foram vendidos até o momento. Lechter agora se uniu à Napoleon Hill Foundation para expandir os princípios e ensinamentos de Napoleon Hill em todo o mundo.

Lechter é empresária, autora, filantropa, educadora, palestrante internacional, CPA licenciada, mãe e avó. Pioneira no desenvolvimento de novas tecnologias para levar a educação de maneiras inovadoras, desafiadoras e divertidas à vida das crianças, ela continua se dedicando à educação, especialmente à educação financeira. Filantropa comprometida, também atua nos conselhos nacionais da Women Presidents' Organization and Childhelp, uma organização nacional fundada para prevenir e tratar o abuso infantil. Ela declarou: "Durante a atual crise econômica global, qualquer pessoa que se esforce para ter sucesso pode encontrar a esperança e a motivação de que precisa, seguindo os princípios de Napoleon Hill".

www.sharonlechter.com

— GREG S. REID

"Quando você faz o que ama e ama o que faz, terá sucesso durante toda a vida", disse o cineasta e palestrante motivacional Greg S. Reid. Ele é autor de *best-sellers*, empresário e CEO de várias empresas de sucesso, e dedicou a vida a ajudar os outros a alcançar o objetivo de encontrar e viver uma vida com propósito. Como colaborador de mais de 35 livros, também é criador e produtor dos aclamados filmes *Pass It On* e *Three feet from gold*.

Seu estilo único e altamente eletrizante fez dele um palestrante procurado por empresas, universidades e organizações de caridade. Mike Helton, presidente da NASCAR, diz sobre ele: "A mensagem de Reid é edificante e inspiradora". O envolvimento de Greg Reid com a comunidade rendeu-lhe reconhecimento da Casa Branca. O ex-presidente Bill Clinton o elogiou por moldar a mente dos jovens por meio de uma organização de orientação local. Em uma carta a Reid, Clinton escreveu: "Com suas contribuições relevantes... você dedicou tempo, talento e energia para cumprir a promessa da América a todo o nosso povo".

Don Green, da Napoleon Hill Foundation, selecionou Reid para expandir os princípios de Hill encontrados no vigésimo livro mais vendido da história, *Quem pensa enriquece*. Além disso, Reid é membro do Conselho da Executive Books, uma empresa de impressão e distribuição que já distribuiu mais de cinquenta milhões de livros práticos e inspiradores em todo o mundo. Ele também atua no conselho de diretores de vários programas de mentoria que ensinam os jovens a empregar seus talentos para melhorar a própria vida.

www.gregsreid.com

## O propósito da Fundação Napoleon Hill é...

- Avançar o conceito de empresa privada oferecido no sistema americano.
- Ensinar aqueles de origem humilde, por meio de fórmulas, a galgar posições de liderança nas profissões escolhidas.
- Ajudar rapazes e moças a estabelecer metas para suas vidas e carreiras.
- Enfatizar a importância da honestidade, moralidade e integridade como a pedra angular do americanismo.
- Auxiliar homens e mulheres a desenvolver seu potencial
- Superar as limitações autoimpostas pelo medo, pela dúvida e pela procrastinação.
- Ensinar o caminho para superar a pobreza, deficiências físicas e outras desvantagens e alcançar posições elevadas, fortuna, bem como adquirir as verdadeiras riquezas da vida.
- Motivar a concretização de grandes realizações.

Fundação Napoleon Hill
www.napoleonhill.org
www.threefeetaway.com

Uma instituição educacional sem fins lucrativos dedicada a fazer do mundo um lugar melhor para se viver.

## Por favor, compartilhe suas histórias pessoais de sucesso pela perseverança.

Visitando www.threefeetaway.com, você pode se juntar à nossa comunidade. Ao compartilhar sua história de sucesso por meio da perseverança, você ajudará outras pessoas a perceber que elas também podem ter sucesso se insistirem e seguirem adiante. Se você ainda está a três passos do ouro, poderá aprender como outros membros da comunidade enfrentaram momentos de luta, o que os ajudou a perseverar e como alcançaram o sucesso. Pode ser justamente a motivação de que você precisa.

Tudo que a mente pode conceber e acreditar, ela pode alcançar!

Sharon L. Lechter, Greg S. Reid
e
Fundação Napoleon Hill

www.threefeetaway.com
www.naphill.org

# THE NAPOLEON HILL FOUNDATION

*What the mind can conceive and believe, the mind can achieve*

O Grupo MasterMind – Treinamentos de Alta Performance é a única empresa autorizada pela Fundação Napoleon Hill a usar sua metodologia em cursos, palestras, seminários e treinamentos no Brasil e demais países de língua portuguesa.

Mais informações:
**www.mastermind.com.br**